PRESIDENTE INTERINO

Rafael Loret de Mola

Presidente Interino

grijalbo

PRESIDENTE INTERINO

© 1992, Rafael Loret de Mola

D.R. © 1994 por EDITORIAL GRIJALBO, S.A. de C.V.
   Calz. San Bartolo Naucalpan núm. 282
   Argentina Poniente 11230
   Miguel Hidalgo, México, D.F.

Este libro no puede ser reproducido,
total o parcialmente,
sin autorización escrita del editor.

ISBN 970-05-0471-9

IMPRESO EN MÉXICO

A mi madre
A los Vadillo

"Sufragio efectivo, no reelección", repitió en voz alta Francisco López Arenas en cuanto leyó el viejo eslogan revolucionario incluido al calce del documento oficial; luego, miró de reojo el óleo con la imagen de César, su´ hermano menor, el presidente de la República, y masculló: "Ganaste la carrera y aún no comprendo por qué me rezagué".

Inquieto, caminó hacia la ventana protegida por una fina celosía, obra de los hábiles artesanos que viven muy cerca de la hacienda El Vellocino, verdadera joya del altiplano. Ahí, la primera familia del país ha logrado reunir más de cien caballos pura sangre traídos de Kentucky: inversión insignificante —dos millones de dólares— para quienes acostumbran derrochar fortunas.

Francisco, "Pancho" para sus amigos, bien podría considerarse un hombre muy exitoso, salvo por un detalle: no es el jefe del país. Desde joven supo combinar las dotes de liderazgo con la intuición financiera, y sus negocios prosperaron de manera ininterrumpida en el terreno de la administración pública. Con base en un respaldo seguro y una información privilegiada convirtió la especulación en aliada, y multiplicó los haberes del clan gracias a la realización de inversiones inteligentes y oportunas, sobre todo durante la crisis financiera del gobierno.

—Pepe —gritó a su secretario—, ¿ha telefoneado papá?

—No, señor. Le recuerdo que avisó que llegaría en la tarde. ¿Quiere que lo comunique a su celular?

—No es necesario. ¿Algún mensaje?

—Llamaron de su despacho. Al parecer, urgen fondos en el sureste.

Como jefe del Programa Nacional de Equidad (Prone), Francisco controla el más ambicioso de los proyectos sociales del régimen, necesario para la supervivencia histórica de "su" grupo. Tres años antes, la oposición había logrado el milagro de poner contra la pared al partido oficial y la voz de alerta sacudió a las dirigencias. Fue entonces cuando se decidió desde arriba volver la mirada hacia los desposeídos y marginados, quienes ya no querían discursos sino soluciones.

Ahora recordaba, con poco entusiasmo, las palabras que César dirigió al patriarca cuando aquél fue nombrado candidato a la primera magistratura: "Tardamos en llegar veinte años... pero al fin lo conseguimos".

El de la nominación fue un momento luminoso, excepcional. De tiempo atrás habían esperado la definición, acogidos a la relación casi filial con el presidente Adolfo de la Tijera, quien presentaba al segundo de los López Arenas, en ese entonces secretario de Planeación, como el mejor de sus discípulos. "La única manera de garantizar la continuidad de los programas económicos implementados es que César sea mi sucesor", repetía el mandatario en tertulias y charlas informales con los allegados.

Y sólo se equivocaron los ingenuos.

En la carretera, Francisco López del Castillo se distrae recordando el pasado. Político talentoso, había alcanzado un ministerio, desde donde ambicionó llegar a Los Laureles, la residencia oficial del presidente del país.

Además, había trabajado con intensidad y pulcritud para reunir una considerable fortuna, la cual le permitía una existencia acomodada. Amén de que había permanecido activo en el terreno gubernamental, al transitar por curules, escaños y direcciones. En resumen, era uno de los hombres "del sistema".

El automóvil vuela por la autopista que serpentea a través del Paso del Conquistador, entre los volcanes, y sirve de escaparate asfáltico al paisaje soberbio. Don Francisco piensa en los suyos: "¡Ah, César! Nunca creí que pudiera sobreponerse... pero lo hizo".

Allá por 1957, en pleno desempeño de su carrera ministerial, López del Castillo debió enfrentar una tragedia. Cierta tarde, al transponer el umbral de su residencia le sobrecogió la histeria de una de las criadas.

—¡Ayayay, licenciado! ¡Pasó algo horrible, retehorrible!

—Cálmate mujer, ¡por Dios!

—Los niños, señor, los niños...

—¿Qué ocurrió? ¡Habla!

—Ros... Rosita, la nueva sirvienta... ¡está muerta, señor!

—¿Qué dices? ¿Y los niños?

—Jugaban... Pero se les ocurrió prender el Cadillac de la señora. El chofer no se dio cuenta... estaba almorzando en la cocina.

—Termina de una vez —gritó con impaciencia—. ¿Qué les pasó?

—A ellos nada, señor. Pero... se les fue el carro. Isidro —el chofer— cree que pusieron la reversa y no se fijaron que atrás de ellos estaba regando la pobre Rosita.

Don Francisco se estremeció. Sin poderse contener, corrió al lugar donde estaba estacionado el automóvil de su esposa. Cerca del vehículo, los macetones salpicados de sangre atestiguaban con crudeza el drama ocurrido. Se aproximó a ellos y descubrió, en la tierra húmeda, algunos mechones de los cabellos negros y dos aretes de fantasía.

—¿Cómo es posible? ¿La señora está bien? —preguntó a la afligida servidora doméstica que lo había seguido hasta el escenario de los hechos.

—Se encerró en su recámara y no quiere ver a nadie —respondió entre sollozos.

—¿Y... los demás empleados? —inquirió, pero no aguardó la respuesta. Se precipitó hacia la cocina y lo que ahí vio casi lo derrumbó: el resto de la servidumbre rodeaba el cuerpo de la infortunada, toscamente expuesto sobre la mesa del desayunador.

—La señora quería que la lleváramos a la casita de Dobi —el pastor alemán, mascota de la familia—. Pero pos sentimos muy feo, señor. Por favor, perdónenos. ¿Qué otra cosa podíamos hacer?

—¡Cúbranla, por Dios! Isidro: lave la cochera y el automóvil. Usted, Agapita, limpie a esta infortunada chamaca. Voy a llamar a la funeraria.

Trató de reconstruir mentalmente los sucesos. Era indispensable preparar una versión convincente. A grandes zancadas subió la escalera. La puerta de la habitación de sus hijos crujía por un movimiento casi rítmico. Desde el interior, Panchito la empujaba con el pie derecho. En ese momento, el muchacho alzó la mirada, suplicante, intentando contener la ira de su padre.

—Yo no quería, de veras.

—¿Qué hiciste? Habla antes de que...

—Yo no hice nada, papá. Sólo quería jugar a los policías con César... y no sé por qué él traía las llaves.

Entonces fue cuando descubrió al menor de sus hijos temblando debajo de la cama, con el rostro metido en el pecho y cubriéndose la cabeza con los brazos.

—¿Y tú qué hiciste?

El chico abandonó su escondite, pero no respondió, ni siquiera lanzó algún sollozo. Serio, encaró a su padre y encogió los hombros. Después, desvió la mirada.

—Él —balbuceó Pancho— la mató.

12

Buscaba respuestas y sólo hallaba más dudas. ¿Qué había pasado en realidad? Pronto lo sabría: Panchito, adolescente ya, quiso besar a la criada. "Sólo eso", había insistido el jovencito. Luego, la arrastró hacia el interior del automóvil, forcejeando y acallando las súplicas de la infeliz, ordenó a Isidro que se "largara a otra parte" y pidió a César que prendiera el motor. "Nos vamos a pasear, ¿eh?", exclamó el primogénito.

Rosita, de apenas catorce años y una larga experiencia en la vida, logró zafarse y salió precipitadamente del vehículo al tiempo que César lo accionaba. El golpe fue seco.

—Frena, idiota... ¡Cuidado! —gritó el hermano mayor.

La joven salió disparada hacia los señoriales macetones de barro que daban un toque colonial a la casona. En su desesperación, Panchito empujó a César para tratar de enfrenar, pero pisó hasta el fondo el pedal del acelerador y el Cadillac aplastó a la muchacha. De inmediato, al intentar controlar el coche, forzaron la palanca de velocidades y arrollaron de nuevo a la chica. El cuerpo de Rosita quedó como una masa informe.

—Ya la amolaste, tarugo.

César, angustiado, sólo abría los ojos desmesuradamente. No podía hablar.

—No te preocupes —añadió Panchito—. Papá lo arregla todo.

Y sin más ni más los chiquillos entraron en la casa, después de haber pasado junto al cadáver.

—¡Híjole! Quedó muy fea, ¿verdad?

Don Francisco obsequió diez mil dólares a la familia de la criadita y, por supuesto, reprendió a los muchachos: treinta días sin ver televisión ni poder salir al cine. Además, un terapeuta los visitaba dos veces por semana. Al cabo de tres meses de tratamiento, el especialista emitió su opinión:

—No se preocupe, don Francisco. Sus hijos son muy inteligentes y no tienen sentimientos de culpa: para ellos, fue sólo un lance infeliz.

—Pero ¿están conscientes de la gravedad del acto que cometieron?

—Por supuesto. En todo caso, le recomiendo que se deshaga lo más pronto posible del Cadillac. Así los ayudará a que olviden el desafortunado incidente.

—¿No habrá secuelas? ¿No sufrirán trastornos mentales?

—Esperemos que no, don Francisco.

En la caseta de la autopista de cuota el dependiente reconoce al viajero: "Es el padre del señor presidente".

Por supuesto, tanto su vehículo como el de la escolta tienen vía libre. Nadie se atreve a cobrar lo que a otros cuesta alrededor de doce dólares. Basta con que don Francisco salude amablemente. Más adelante, toman un camino vecinal, de apenas seis metros de ancho. La vista es magnífica; el ánimo, nostálgico. Treinta años después de aquel "incidente", los fantasmas saltan por aquí y por allá. Y, entonces, le viene a la mente la explosión colérica que provocó en su segundogénito el testimonio, mal impreso, de aquel crimen.

—¿Quién diablos hizo esto? —preguntó César, iracundo, al capitán Fulgencio Ramírez Casas, gobernador de la provincia de la Verarrica y hombre de confianza para tratar los asuntos delicados.

—No lo sabemos a ciencia cierta, porque la edición no tiene pie de imprenta. Pero mucho me temo que...

—¿Díaz Torquemada, verdad? Definitivamente, sólo él es capaz de algo así.

Juan Díaz Torquemada, secretario del Interior y adversario político de López Arenas en la justa por la presidencia, combatía con los instrumentos que tenía a mano: una implacable red de investigadores que escudriñaban en todos los frentes. Era la "inteligencia" política, el espionaje institucionalizado. Al servicio de un ambicioso, esta dependencia adquirió dimensiones sorprendentes. Además, el "patrón" le permitía actuar con la mayor de las impunidades.

14

Díaz Torquemada, a quien se calificaba como "el inquisidor" en algunos semanarios independientes, era diestro en el arte de la intriga. Tenaz, ofrecía al presidente sólo aquella información, debidamente seleccionada, que resultaba adecuada a las conveniencias del "grupo". Y, por supuesto, bien sabía dirigir las baterías hacia los blancos ideales.

—Juan —sonó la voz de López Arenas por la línea roja, de uso exclusivo para los miembros del gabinete—, aquí tengo un pasquín que está circulando de manera ilegal.

—*Un criminal en la silla.* ¿No es así?

—¿Lo conoces? Entonces...

—No te impacientes. Mira, César: no olvides que en este despacho concentramos todo. Ya tenemos una pista. ¿Recuerdas a aquel editor irascible de apellido Suárez? Hacia él apuntan nuestras pesquisas.

Al colgar, el secretario López Arenas, visiblemente inquieto, se dirigió a Ramírez Casas:

—Usted conoce a Suárez, ¿no es cierto? Invítelo a venir por aquí. Que se sienta presionado... ya nos hizo varias.

Fulgencio Ramírez Casas, capitán retirado y político con actividad sostenida a lo largo de seis sexenios, medía bien cada palabra del aún joven economista a quien había apostado "su resto", como suele decirse en el póquer. Solía comentar que la buenaventura en el servicio público no es consecuencia de una lotería o de la casualidad, sino más bien el resultado del análisis inteligente y oportuno de cada uno de los factores en juego.

En cuestión de horas, Suárez y Ramírez Casas estaban sentados a la mesa del comedor privado de López Arenas.

—¿Tiene usted algo que ver en esto? —preguntó el secretario arrojando en dirección a Suárez el ejemplar del escrito anónimo.

—Nada, señor —respondió el aludido con semblante hosco—. Pero si usted quiere saber la verdad, indague en las oficinas de Díaz Torquemada. En apariencia, el encargado de hacer circular esta inmundicia es un tal Gómez García, uno de esos a quienes los agentes de la policía secreta llaman "madrinas".

—¿Usted ya lo leyó?

—No, pero sé lo que dice. Y, claro, fue muy sencillo tratar de implicarme en el desaguisado. ¿Quién más se atrevería a divulgar un hecho de tales dimensiones?

—Son falsedades, Suárez, sólo eso. Definitivamente queda claro que la intención es inhabilitarme como probable candidato.

—¿Y quién podría tener más interés en hacerlo que Díaz Torquemada?

Sin esperar más, López Arenas marcó el número uno de la línea privada.

—Señor presidente: algo muy grave está ocurriendo.

Al mediodía siguiente, en la oficina principal de Los Laureles, el presidente De la Tijera apenas salía de su asombro.

—Ya no sé qué esperar de Juan. Veremos qué nos dice, frente a frente.

La puerta se abrió para dar paso al "acusado". Sonriente, con desparpajo, el secretario del Interior entró cargando un grueso legajo.

—Buenas tardes, señor presidente. A sus órdenes.

A César López Arenas le dedicó una media reverencia ántes de sentarse en uno de los sillones del adusto despacho.

—Tengo informes muy serios, Juan.

—Señor, perdóneme por adelantarme. Pero, como me imagino cuál es el tenor de los infundios dirigidos contra mí, he traído estos documentos. Se trata de la relación completa de los negocios, algunos de ellos ilegales, de la familia López Arenas. Mire usted: si de verdad quisiera perjudicar a César, bastaría con que diera a conocer los detalles de este informe. Véalo, por favor...

—Pero, Juan, ¿cómo te has atrevido? —interrogó, dominado por el furor, López Arenas.

—Es mi deber. Por supuesto, este asunto es confidencial y no saldrá de aquí a menos de que ordene lo contrario el señor presidente.

De la Tijera recorrió con la vista, frunciendo el entrecejo, la lista de lo contenido en los documentos. Cuando terminó, dio un puñetazo sobre el expediente.

—Escuchen con atención lo que voy a decirles: ambos saben que ustedes son los únicos capaces de llegar a ocupar, en su momento, esta silla. Así que deben actuar con sensatez. No les pido que sean amigos, pero sí que se traten con respeto. No toleraré este tipo de disputas estériles y torpes.

—Pero, señor, Juan es el agresor —protestó López Arenas.

—Tú tampoco eres una blanca paloma, César —acotó el presidente mirando, de reojo, la carpeta comprometedora—. Vamos a establecer un pacto de civilidad entre los tres. El que alcance la nominación deberá comprometerse a respetar al que no lo logre quien, incluso, formará parte, en sitio destacado, del próximo gobierno.

—Pero...

—Ningún pero, César. Por ahora, yo soy el que fija las condiciones. Quizá, haya sido muy débil y permitido que actuaran a su antojo. En adelante, no será así. Quiero que los vean juntos, en todos lados. Váyanse a cenar por ahí, con sus esposas. Tengo la dirección de un buen restaurante de comida típica mexicana, muy lucidor para este fin. Llénense de tacos y de gente. Y basta de intrigas. Quien no cumpla, se va. ¿Entendido?

—¿Qué hará usted con los papeles que acabo de entregarle, señor? —preguntó Díaz Torquemada, concediendo.

—Guardarlos. No saldrán de aquí, como bien apuntó usted. Por otra parte, tampoco hablaremos de los periodistas desaparecidos. No le gustaría que lo hiciera, ¿verdad Juan?

Díaz Torquemada, de pie, se despidió apresurado. López Arenas comenzaba a retirarse cuando la mano del presidente lo tomo del brazo, retrasándolo.

—A partir de ahora, César, debes tener especial cuidado. Parece que ya nos libramos de Juan, pero no debes confiarte. Me entiendes, ¿verdad?

El espaldarazo final llegó de la manera más sorpresiva, cuando todo parecía oscuro.

—Al fin y al cabo —concluyó el presidente—, todos tenemos recuerdos que nos gustaría desechar.

El Lincoln negro de don Francisco atraviesa la verja de El Vellocino. Los custodios, seis militares, ven entrar al patrón meditabundo, quien ni siquiera responde el saludo cortés del sargento al mando. El panorama es inmejorable: los picaderos y corrales deslumbran como nuevos. Y el sol otoñal comienza a ocultarse. ¡Ah, el campo!, tan lejano del humo y el plomo de la macrópolis, donde tienen asiento todas las inconveniencias concebibles.

—Llegamos, señor —comunicó maquinalmente Isidro, el veterano chofer.

Y sigue la rutina: uno de los guardias presidenciales le abre la portezuela, otro lo acompaña hasta la estancia, otro más da noticia de su arribo. Don Francisco pasa revista a los objetos más queridos: un prodigioso caballo de bronce, obra de Peraza; la coctelera de plata, regalo del querido ex presidente Prudencio Roldán del Bosque, y la colección de Lladró con El Quijote al centro. Está en casa.

—¿Tuviste buen viaje? —preguntó Pancho antes de inclinarse con reverencia a besar la mano de su padre.

—Ni lo sentí. Meditaba, como siempre. ¿Y tú, qué has hecho?

—Nada nuevo: ajustes por aquí, fondos para allá. La equidad cuesta mucho. Sobre todo en estos días en que tanto presionan a César.

—Me enteré de que algunos empresarios del norte han propuesto su reelección. ¿Cómo la ves?

—La mera verdad, yo creo que lo quieren medir. Si César cae en el juego, ellos se convertirían en los primeros en haberlo sugerido y luego pasarían la factura; si no, de cualquier manera les sirve para halagarlo.

—Tu hermano lo merece: rescató al país de la quiebra, recuperó el prestigio de la institución presidencial y ha logrado el reconocimiento internacional a sus sabias políticas financieras. ¡Y todo ello en tan solo cuatro años!

—Pero hay cuestiones que pueden resultar anticlimáticas. Además, ¿en dónde dejas a la Constitución?

—En su sitio, por supuesto. No olvides que estamos viviendo el cambio. Y éste significa superar lo rígido y lo ríspido mediante la apertura y la tolerancia. Ahora, la soberanía no se determina con base en las intransigencias nacionales, sino con fundamento en la comprensión internacional. Como puedes advertir, hay un abismo entre un concepto y el otro.

—Pero existen pilares que sostienen las estructuras. Recuerda que ni los caudillos de la Revolución pudieron dar cauce a sus inclinaciones de perpetuidad: a uno lo mataron, a los demás los exiliaron.

—¡Por Dios!, eran otros tiempos. Hoy, la modernidad nos obliga a ser civilizados y condescendientes. No creo que hubiese gran resistencia a una propuesta reeleccionista.

—Pero eso no es equitativo, otros tenemos también derecho... —dijo Francisco, quien interrumpió súbitamente su réplica, arrepentido de la confidencia espontánea. Desde hacía meses ponderaba esta natural inclinación hacia la gloria. "¿Por qué no?", se repetía a sí mismo una y otra vez.

—No me sorprendes. Siempre fuiste ambicioso y ahora envidias a tu hermano.

—No lo envidio, lo admiro de veras. Sin embargo, como sé que él no podrá culminar sus propósitos en dos años, yo sería la solución ideal para evitar broncas y replanteamientos históricos. ¿Para qué quiere la reelección si me tiene a mí?

—¿Y la polémica sobre el nepotismo?

—Está superada. Fíjate que nadie la menciona. Fue válida hace dos sexenios, cuando Artemio Caparroso y de la Vega llenó el escenario público con sus hijos, yernos, primos y hasta sus amantes. A nosotros no nos ven con malos ojos. Además, somos muy útiles.

—Por cierto, ¿te acuerdas de la primera mujer que ocupó una secretaría? ¡Qué caderas, hijo, qué caderas! Amparo Félix lucía incomparable.

—El "nepotismo erótico", según una periodista célebre. La condición agotó todas sus posibilidades.

—Con todo, me parece muy temerario tu deseo. ¿Qué puede pensar César?

—Él es un hombre fiel a sus orígenes y leal con sus amigos. ¿Acaso no le he servido bien? Si depositó en mí su confianza es porque valgo. Así lo siento.

—Nadie lo duda. Lo difícil es instrumentar esta idea. Habrá que consultársela con mucho tacto...

—Entonces, ¿no te parece tan mala?

—No me disgusta del todo. Tener dos hijos presidentes. Vaya, ni los Kennedy.

César López Arenas atiende, con vivo interés, la exposición numérica del secretario del Tesoro. Áspero en materia política, Antonio Martínez Argüelles ha desarrollado un singular talento para la administración. Se trata del hombre adecuado ubicado en el momento y el lugar adecuados.

"No cabe duda: Antonio puede ser un buen prospecto", medita el presidente sin perder el hilo de la argumentación.

Tras una gira por Europa, Martínez presenta buenas cuentas: la paraestatal El Acero, un gigantesco monopolio, ya tiene nuevos dueños. Las penurias del país obligan a los más altos funcionarios a fungir como promotores y vendedores eficientes. Urgen fondos y por ello se otorgan amplias facilidades a los inversionistas de afuera, política contrastante con la marcada cerrazón de los anteriores mandatarios, quienes habían preferido proteger el mercado interno y evitar la globalización.

—Señor —dijo, en tono solemne, el secretario—, los franceses están entusiasmados. Piden garantías, eso sí, porque se trata de un desembolso fuerte... que nos daría la suficiente liquidez para terminar el año político y comenzar, a buen ritmo, el próximo.

—Bien, Antonio. Sólo que, como sabes, definitivamente debemos comenzar a limitar nuestros gastos sociales. Otra vez.

—Si continuamos a este ritmo, señor, nos veremos obligados a desmantelar parte de la Compañía Nacional del Petróleo, nuestro sostén indiscutible. Ya no queda gran cosa por privatizar.

—Pero debemos proseguir con el Prone. Es una inversión políticamente rentable, de indudable trascendencia.

—Sólo que nos toca bailar con la más fea: proveer de ingresos al erario, dicho esto sin ánimo de queja. Otros proyectan el gasto, nada más. Y la realidad es que las disponibilidades menguan.

—Sin embargo, me enteré de que los europeos te trataron bien. ¿Ya se animaron los italianos a soltar los dólares?

—Parece que sí. Les entusiasma el proyecto de fundar una "nueva Venecia" en nuestras playas... aunque prefieren ir despacio.

—¿Qué dice la prensa del Viejo Mundo sobre nuestra democracia?

—Me interrogaron sobre el tema en cada oportunidad. Al respecto, destaqué que la madurez de nuestros compatriotas no termina en las urnas sino que comienza en ellas. A partir de los comicios los caminos se ensanchan, porque el gobierno cumple interpretando cabalmente los propósitos comunitarios.

—Una tesis elegante, sin duda alguna. Veo que comienza a gustarte la política.

—Me adapto por necesidad. Pude comprobar que existe una gran preocupación en torno a los resultados de las próximas elecciones, los cuales establecerían la solidez de nuestra estabilidad.

—Lo mismo opinan en la Casa Blanca, donde todavía no comprenden muy bien cómo puede profundizarse la democracia sin necesidad de alternar el poder con la oposición.

—Bueno, a decir verdad, cada día es más difícil explicarlo. Para ellos, un avance real sólo ocurriría en la medida en que la disidencia obtuviese mejores posiciones pero, al mismo tiempo, esta posibilidad reduciría los márgenes de equilibrio político, puesto que sólo el Partido de las Instituciones Revolucionarias (PIR) es capaz de garantizar un buen gobierno y la consiguiente estabilidad.

—Definitivamente. Debe considerarse que la democracia en exceso distorsionaría los objetivos primordiales: la solidez de nuestro gobierno y la paz social. Necesitamos fuerza para negociar y tranquilidad para captar mayores divisas. En ello está la clave de nuestra supervivencia, el único camino posible. Además, claro, del Acuerdo Comercial con Estados Unidos.

El presidente se levanta, dando por terminada la audiencia. El secretario, en gesto de despedida, hace una pequeña reverencia al jefe del país y éste sonríe, complacido. La amistad no debe trascender al campo de la intimidad. En Palacio no pueden hacerse este tipo de concesiones.

"Me agrada que Antonio comience a compenetrarse en materia política. Va tomando la estatura necesaria. Y yo tengo más naipes en la mano para jugarlos en el momento oportuno", razona el mandatario.

Hojea su agenda. Enseguida debe recibir al coordinador de Informática y Relaciones Públicas, Óscar Rosas, colaborador de origen humilde y gesto oriental, piel amarillenta y esbeltez pronunciada. Sin duda, el funcionario que más tiempo ha permanecido a la vera del presidente.

—¿Qué tal, Óscar? ¿Cómo vamos? —preguntó sin alzar la vista.

—Bien, señor presidente. Tengo los resultados de la última encuesta: 59% de los entrevistados considera que su gobierno es muy bueno; 22%, que es aceptable, y únicamente 19%, que tiene algunos aspectos negativos. Las cifras son muy superiores a las del informe anterior.

—¿Y en la zona metropolitana?

—También se observa una sensible recuperación: 45% a favor, 25% dentro de los niveles de tolerancia y 30% en contra.

—Los que nos aceptan a regañadientes, ¿continúan concentrados en las colonias clasemedieras?

—Sí, señor. El rechazo es asimismo notorio en ese sector. Los "nuestros" están en los barrios y vecindades populares.

—Definitivamente: ahí donde han llegado los beneficios del Prone. Habría que estudiar la manera de proyectar la imagen de la equidad a la capa conflictiva.

—Estamos trabajando en ello; pero resulta difícil, porque en ese sector no tienen problemas de servicio público, al menos no muy serios. Es curioso advertir que donde se cuenta con luz, agua potable, alcantarillado y escuelas, hay una mayor inclinación a la disidencia.

—A eso le llaman cultura política. Yo la calificaría más bien como insensibilidad social: quieren para sí mismos todas las ventajas y no aceptan que auxiliemos a los marginados. Es un concepto retardatario aún vigente entre los pudientes.

—Ya lo creo, señor. Ahora bien, nosotros pretendemos intensificar la campaña propagandística transmitida por televisión. Para ello, los artistas de moda grabarán un videoclip, al que agregaremos, muy bien dosificados, nuestros mensajes subliminales. El subconsciente del televidente captará su imagen, al mismo tiempo en que los colores patrios aparecerán en la pantalla.

"Óscar es inteligente y me lleva a sus terrenos. Y, claro, tendré que quedarle agradecido", medita el mandatario antes de reanudar la conversación.

—Bien, Rosas. A otra cosa. ¿Qué me dice de las quejas de sus amigos, los periodistas? Están muy inquietos y desfilan por la Asociación de los Derechos Humanos.

—No faltan agitadores, señor. Inventan asaltos e intimidaciones que no podemos confirmar. En general, tenemos controlada la situación. Y no sería aconsejable, por ahora, un endurecimiento de nuestra parte.

Mientras Óscar Rosas relata los "incidentes aislados", López Arenas reflexiona: "¿Cuántos de estos 'honorables' informadores que amenazan con radicalizarse son, en verdad, honestos? Pegan para que les paguen y no dicen gran cosa. Carecen de profundidad en sus juicios, porque no investigan y prefieren abusar de su libertad. Y nosotros optamos por tolerarlos".

—¿Y la prensa extranjera?

—Nos está creando complicaciones. Comentan maravillas acerca de la depuración financiera pero insisten, de manera prejuiciosa, en que nuestros procesos electorales no son confiables. Siguen hablando de que los próximos comicios serán "una prueba de fuego" para usted.

—¿Cuáles son las supuestas fallas?

—Sobre todo, la ausencia de un documento de identidad para los electores, que incluya fotografía, firma y filiación de cada uno. Y subrayan que mientras el control electoral lo tenga el partido en el poder, no podrá haber un avance democrático real.

—Es necesario, entonces, dar la cara. Concerte entrevistas exclusivas con los principales corresponsales o solicite la presencia de enviados especiales. Definitivamente, no conviene que nos sigan golpeando, sobre todo en este trance tan difícil. ¿Quieren fotografías en las credenciales electorales? ¡Las tendrán!

Observa que Rosas apunta las órdenes y establece prioridades. Le da la impresión de que está incorporado, mediante una suerte de simbiosis, a la libreta. Sabe que cuenta con él de manera incondicional. Por eso dejó pasar, durante la campaña, algunos episodios muy comprometedores que involucraban a su colaborador.

En una ocasión que habían pernoctado en pleno desierto, lo despertaron los gritos de sus ayudantes:

—¿Qué pasa? ¡Caramba! Son las tres de la mañana.

—Señor, la situación ya está controlada... Óscar, señor... Ya sabe usted, invitó al hijo del director de *Al Día*, Martín Figueres, y creo que quisieron abusar del muchacho.

—¿Cómo dice? Óscar no está involucrado, ¿verdad?

—No exactamente, señor. Pero no andaba muy lejos.

—Explíquese, mayor. ¿Qué diablos ocurrió?

—Los asesores de Óscar, Pedro de la Garza y Enrique Rivera, enviaron al custodio del chamaco Figueres a buscar una documentación urgente. Y calcularon que regresaría en tres horas, por lo menos. En ese tiempo, dijéramos que tomaron algunas copitas con el niño...

—¿Niño? Pues ¿qué edad tiene?

—Unos dieciséis. El caso señor es que, cuando regresó, el gorilón ese encontró a Martín en una verdadera escaramuza... entre sábanas. Y, por supuesto, se le fue encima a Óscar.

—Entonces, ahí estaba Óscar.

—No, señor. Pero sí sabía de los hechos.

Óscar Rosas, al pretender contener al acompañante de Figueres, había recibido un golpe en la boca del estómago. Furioso, ordenó a los militares a su servicio que dieran una lección al impertinente. Y la batahola fue en grande.

—¿Cuál es su versión, Óscar? —preguntó, algunos minutos después, el candidato.

—Un malentendido, señor. Sólo bailábamos y ese energúmeno lo interpretó equivocadamente.

—¿Bailaban? ¿Usted, incluso? ¿Y con quiénes? ¿Las reporteras, quizá...?

—Bueno, seguíamos la música nada más.

—¿Quiere decir... sin parejas?

—Así es. No teníamos dobles intenciones, pero abundan los desequilibrados. Ya sabe usted.

—Lo único que sé es que definitivamente deberemos dar una explicación al padre del chamaco. Y ya conocemos cómo es...

Días más tarde, en la residencia del señor Figueres, éste se negó, en principio, a recibir al candidato.

—No quiero nada con él. Primero que se libre de los jotos. Después hablaremos —gritó desde la planta alta.

Sin embargo, López Arenas insistió y subió la escalera.

—Don Martín, vengo a darle una disculpa. Acéptela, por favor. Definitivamente, no volverá a ocurrir un incidente de esta naturaleza. En realidad es sólo una tremenda equivocación.

—No... no es así, César. El tal Óscar no es hombre para este cargo.

—Ya le pedí su renuncia. No se preocupe más, don Martín.

Pero no se la pidió: prefirió esperar a que las aguas se serenaran. Sin embargo, nadie pudo evitar que apareciera un duro editorial en el semanario más leído del país.

Sin hacer referencia al incidente, recriminaba al candidato por haberse rodeado de elementos "poco gratos para la opinión pública". Insinuaba, nada más.

En aquella ocasión, lo que verdaderamente molestó a López Arenas, fue el aire de insolencia contenido en una afirmación de Rosas: "El presidente De la Tijera me defendería".

El presidente se coloca la banda tricolor, símbolo de su suprema autoridad, y espera el arribo de los nuevos embajadores de México y Argentina, quienes presentarán sus cartas credenciales. "Es un pedazo de tela, ¡pero cómo pesa! Portarla con majestad es lo que otorga la dignidad histórica a los que transitamos por este Palacio. ¿A quién de mis colaboradores voy a entregársela?", reflexiona el mandatario.

Enumera mentalmente los méritos y defectos de los "suspirantes", en cumplimiento de una antigua tradición invariable: él, sólo él, deberá señalar a su sucesor. Las jerarquías del PIR esperarán su decisión, a la cual se sumarán con entusiasmo y devoción.

Ernesto J. Ulibarri, gobernador de la gran capital, encabeza la lista. Estudioso y analítico, dejó el examen acerca de los lastres del sistema para incorporarse al equipo de trabajo de su antiguo compañero de aulas, César López Arenas. Promotor del cambio estructural, concibe el pluralismo como sistema integrado al aparato gubernamental y no como ente ajeno. Es decir, la apertura no debe poner en riesgo la preeminencia del grupo en el poder. La familia puede crecer sin ser seccionada.

"Si no fuera por sus precipitaciones... A veces creo que le falta madurez para evitar enfrentamientos y no caer en la tentación de colocar a sus hombres de confianza en puestos clave. Otras veces, aunque no sea su intención, me estorba", continúa cavilando el presidente.

Daniel Valdés de Rodas es el máximo dirigente del partido. Tibio como ideólogo, resulta muy hábil a la hora de transar candidaturas y victorias cuestionables. En apariencia, perdió terreno al sufrir derrotas en dos provincias, los primeros reveses experimentados en toda la historia del PIR. No obstante, lejos de amilanarse, reestructuró los cuadros y las seccionales para dar un nuevo impulso al partido.

"Es leal, demasiado leal, tanto que no sé cómo actuaría por iniciativa propia. Está acostumbrado a seguir una línea y hasta a ceder cuando es necesario hacerlo para preservar la salud de la República. ¿Se desempeñaría igual en ausencia del padrinazgo?", se pregunta López Arenas.

Antonio Martínez, secretario del Tesoro, abona a su cuenta la impecable soltura mostrada como negociador. Cercano a los financieros de Estados Unidos, ha contribuido de manera determinante en la configuración de una de las estrategias torales del régimen: la integración comercial del país a las potencias de América del Norte.

"Me identifico con él... lástima que no parece entender la idiosincrasia de nuestro pueblo", se lamenta el jefe del país.

Le vienen más nombres a la mente. ¿Mario Delgado? Titular de Planeación. Demasiado joven: "Aunque yo también lo era hace seis años". ¿Ramírez Casas? El investigador político de la nación. Muy veterano y aún fuerte físicamente: "Él quiere la banda, pero a veces se olvida de su mayor cualidad, la de ser institucional". ¿Manuel Cocom Parrado? Secretario de la Propiedad Rural: "Sería capaz de negar sus orígenes para aparecer como redentor. Tiene sed de protagonismo". ¿Alberto Paz? Responsable de la Secretaría de la Tierra, la Flora y la Fauna: "Es hijo de extranjeros y la Constitución lo inhabilita. Podríamos iniciar una reforma... pero el hombre no se cuece al primer hervor".

El mandatario recapacita: "Cada uno tiene una ventaja y un inconveniente. Será la decisión más difícil del sexenio, definitivamente. Una equivocación tiraría por la borda lo que ya hemos avanzado''.

Luego, le viene a la cabeza un pasaje del discurso de un rollizo empresario norteño:

—No permitiremos que nos abandone, señor. Gracias a usted tenemos trayecto cierto y no una catástrofe a la vista; gracias a usted nos ligamos a la mayor fuerza económica del mundo; gracias a usted conservamos patria y esperanzas. Nadie vería con malos ojos su reelección.

En aquel entonces, el presidente permaneció serio ante el halago; pero ahora sonríe, entre divertido y empalagado. ''Me gustó cómo lo dijo. Claro que es una ingenuidad... por ahora'', especula.

Le sorprende dudar. La barroca fraseología política del país no podría explicar un desliz de esta naturaleza. Toda la estructura republicana —''revolucionaria'', dirían los jilgueros— descansa en el principio antirreeleccionista. Cualquier otra cosa sería retornar a la dictadura, al pasado. Y no habría lugar para interpretaciones ligeras.

''Voy a ser, a los 46 años, uno de los ex presidentes más jóvenes'', calcula y, de inmediato, recuerda a Prudencio Roldán del Bosque quien, siendo ya viejo, visitó en cierta ocasión la casa de su padre.

—Me sobra mucho tiempo, Francisco. Después de la presidencia te quedas solo. Y debes organizar tu existencia de la mejor manera posible: haces un poco de ejercicio, disfrutas de un largo baño, lees un rato, recibes a uno que otro amigo, vuelves a leer... y apenas son las doce del día. ¡Qué aburrimiento! —dijo el ex mandatario.

Si aquél, un anciano, fue presa del fastidio, ¿qué pasará con él, que habrá de mantenerse aún en gran forma, a la hora del retiro inevitable? Era como quedar roto a la mitad del camino, en plena pujanza y con las facultades intactas. ''Quizá ésta sea la mayor crueldad de nuestro sistema. Dicen que se aprovecha la experiencia de los 'ex', pero la realidad es muy distinta: cuando se llega a la presidencia, hay que cortar el cordón umbilical. Sólo así se gana el respeto de la clase política: rompiendo con el pasado y sin nostalgias. Por eso, los 'ex' parecen almas errantes", conjetura López Arenas. Entonces, se entristece. Mira a su alrededor, la sede del poder, y reconoce que todo aquello tiene su sello. El dinamismo de su mandato borró las herencias de la administración anterior, tanto lo bueno como lo malo. "Don Adolfo cumplió a su manera... aunque por poco me quedo en el camino. Él alega haberse sacrificado, pero le faltaron arrestos. Claro que esto me lo guardo. A pesar de sus debilidades, le quiero bien", continúa el presidente, dándole vueltas al asunto.

La noche terrible de las elecciones, el entonces jefe del país, Adolfo de la Tijera, casi fuera de sí, le había telefoneado:

—César, nos dieron. ¿Qué vamos a hacer?

—Sacar las cifras como sea. No hay otra. Definitivamente, la situación es muy grave. Dentro de unos minutos, en cadena nacional, voy a anunciar mi victoria, reconociendo algunos éxitos parciales de la oposición. Usted ordene, se lo ruego, que cese el flujo de números. Díaz Torquemada nos la debe, ¿no?

—Sí, pero... ¿No será peligroso?

—Lo peligroso sería perder el control y ceder el poder. ¡Eso nunca, señor presidente!

¿Qué habría pasado de ser otro el candidato, más dúctil y menos vigoroso? El temporal habría arrastrado al sistema.

"El país se le iba de las manos a don Adolfo. Y él lo sabía. Parecía un náufrago, a la deriva", evoca López Arenas.

Observa su propio retrato, con la bandera al fondo y el escudo nacional al centro. "Eso no volverá a ocurrir.

No, mientras yo sea presidente'', se repite a sí mismo con resolución y, sin saber por qué, vuelve a regodearse con las palabras de aquel próspero y barrigón empresario norteño.

2

Apenas diez días después de haber concluido su mandato presidencial, Adolfo de la Tijera celebra su cumpleaños en la casona colonial que había crecido "hacia adentro", para no exhibir la bonanza de quienes residían en
ella. Construcción firme y antigua, con pórtico señorial
y vetustas vigas sobre las puertas, la residencia es timbre
de orgullo de su propietario quien, además, ha instalado
una amplia biblioteca, de más de 60 mil volúmenes clasi-
ficados, en lo que antes fuera un austero despacho.

Detrás del escritorio, el ex presidente aguarda el arribo de sus amigos. Sobre la mesa de servicio se halla el infaltable escocés y una botella de coñac casi vacía. Resulta
evidente que, sin haber llegado a perder la conciencia,
don Adolfo ha bebido de más.

—Raúl, ¿llegó alguien? —preguntó a su secretario
privado y éste, por enésima ocasión en el transcurso de
las dos últimas horas, estableció contacto con el jefe
de la guardia dispuesta para la seguridad del anterior jefe
del Estado. Por ley, tenía derecho a esta custodia excepcional.

—Negativo, señor. Me informan que sólo su chofer
ha llamado a la puerta.

—¿Qué hora es?

—Apenas pasa de las nueve de la noche. Aún es temprano.

De la Tijera repasa la lista de invitados. El principal, el presidente López Arenas, se había disculpado en la víspera, pues estaría de gira en el interior del país. Curiosamente, telefonearon después los miembros del gabinete y ofrecieron excusas semejantes. Pero los amigos no le fallarían. "Carlos Daguerre y Miguel Pescueza deben estar por llegar; es extraño que Sebastián Ganzúa se haya retrasado. En fin, ya vendrán", pensó el mandatario.

Daguerre había dejado el gobierno de la capital para incorporarse a la Dirección de Juegos de Azar y Loterías; Ganzúa, muy habilidoso, presidía la paraestatal de la Vivienda Popular, en recompensa a la antigua alianza establecida con quien terminaría por ocupar el puesto de su jefe. De la Tijera no podía olvidar cómo había conocido a su eficaz colaborador, durante la primera noche que pasó en la Secretaría de Planeación.

—¿Usted quién es?

—Soy el auxiliar de su antecesor, don Rafael Sánchez de Miera. Estoy arreglando sus papeles personales y poniendo todo en orden para la ceremonia de entrega, por efectuarse mañana mismo. No lo esperaba por aquí, señor ministro.

—¿Cuál es su nombre?

—Sebastián Ganzúa, señor. Estoy para servirle.

—Eso veo: usted es el único que está trabajando en este desierto. Voy a pedirle que permanezca en su puesto...

—Gracias, señor ministro.

Desde ese momento, surgió entre ambos una corriente de simpatía vital, la cual aumentó con el paso del tiempo.

—Perdóneme, señor, ¿va usted a marcharse pronto? —preguntó esa misma noche, un par de horas más tarde, el dedicado Ganzúa.

—¿Cómo, Sebastián? Son más de las doce de la noche. Suponía que usted ya se había retirado.

—No, señor. No quería interrumpirlo, pero me avisaron por la tarde que mi esposa perdió a nuestro primer hijo. Y desearía pasar con ella algunas horas.

—¡Sebastián, por favor! Le ruego que deje todos los pendientes. Váyase ya. ¡Qué barbaridad, Sebastián!

Aquel gesto lo hizo admirable a los ojos del futuro presidente, quien lo respetaba. Ganzúa, por su parte, veía en su jefe a un maestro, aunque no podía evitar experimentar cierto rechazo por algunas de las más pronunciadas debilidades de su superior. Con frecuencia recibía los sofisticados arreglos florales... sin remitente alguno. Además, ciertas audiencias se prolongaban por pura jovialidad de los contertulios. Lo sabía y callaba.

—Ya está aquí Sebastián, don Adolfo —le anunció, durante la velada con motivo de su cumpleaños, su secretario privado.

—Hazlo pasar de inmediato.

Ganzúa no lograba habituarse a la nueva situación. Sobre todo al contemplar a quien había conducido al país, mareado por el licor y con la mirada oscilante. Era un muerto en vida a los 57 años.

—¡Felicidades, patrón! —gritó Ganzúa con aire festivo, al tiempo en que abría los brazos.

—¿Has venido solo? —le preguntó De la Tijera, incorporándose con dificultad para estrecharlo.

—Sí, señor. Por desgracia, mi mujer no pudo acompañarme. Tiene migraña. Y Carlos me avisó que vendría más tarde.

—En fin, ¿cómo te va en tu nueva chambita?

—Apenas nos vamos acomodando. Es difícil aceptar que ya no despachamos en Palacio y que usted no es el presidente.

—Pero te llevas bien con López Arenas. Siempre cuidaste nuestra relación y me atrevo a decir que le cubrías la espalda.

—Bueno, usted sabe cómo se las gasta Díaz Torquemada, a quien nunca le he tenido confianza. Es más: aún no entiendo por qué usted lo sostuvo en su puesto y hasta lo impulsó al gabinete actual...

—Hay cuestiones que no entenderías... y Díaz Torquemada las conoce. Sabe mucho, demasiado. Dejarlo suelto habría sido casi un suicidio... para mí y para César.

—¿Tan grave es el asunto, señor?

De la Tijera no respondió. Supuso que su antiguo colaborador sospechaba o quizá pretendía confirmar cierta información. Pero aquél era un asunto amargo y prefería no tratarlo. En su interior, seguía afligido por el episodio que se remontaba hasta un pasado aún no tan lejano.

—Señor presidente —dijo con desparpajo Díaz Torquemada, evitando la leve inclinación de cabeza con que solía saludar al máximo líder nacional—. Debo referirme a un asunto poco agradable, sobre todo en lo que a mí toca.

—¿De qué se trata? —preguntó áspero.

—Es necesario, señor, que continúe ejerciendo la presidencia con mayor discreción personal.

—Un momento, Juan. No le permito sinuosidades a mi costa. Vaya al grano.

—Mire usted: su vida privada puede ocasionarle graves disgustos. Mi deber es decírselo.

De la Tijera palideció. ¿Qué pretendía decirle su subordinado y hasta dónde quería llegar? ¿Cuál era el precio?

—No siga, Juan. Deduzco que usted está enterado...

—Por desgracia, así es. Tengo fotografías harto comprometedoras tomadas durante una fiesta de disfraces. Usted aparece con un atuendo egipcio... muy colorido —aseguró Díaz Torquemada, mostrándole las instantáneas.

—Nnnno, no soy yo, Juan. Guarde eso, por favor. Le ordeno que se deshaga de esas gráficas ahora mismo.

—No debe preocuparse por mi discreción, señor presidente. En cambio, debo insistir en que es necesario tener más cuidado...

—No le admito duda al respecto. Recuerde que yo soy el presidente de la República.

—Porque lo sé, le ruego que considere cuán peligrosa es la situación. El festejo, o como quiera llamársele, se efectuó en la mansión de los principales "capos", incluyendo a los mexicanos del cártel de Guadalajara. ¿No lo sabía usted?

—¿Hasta dónde quiere llegar, Juan? ¿Qué quiere en concreto?

—Mientras yo esté cerca de usted, le garantizo que estos documentos no trascenderán. Pero no podría asegurarlo si...

—Entiendo. Es un trueque de indignidades: su permanencia a cambio de su silencio.

—Me atrevo a sugerir algo más que eso, señor: mi continuidad.

—¿Me está usted chantajeando? No se olvide de que el poder lo ostento yo y...

—Por supuesto. Simplemente pretendo hacerle un servicio y serle útil. No pongo en duda su autoridad. Conozco cuáles son mis limitaciones... y mis puntos negativos.

—Entonces, nos entendemos... en materia política.

—Por eso soy su ministro del Interior.

Le lastimaba haberse sentido acorralado cuando tenía todos los hilos del poder en las manos. Con un poco de valor, no le habría resultado muy difícil perseguir y ultrajar a Díaz Torquemada, cuya insolencia era insoportable. Pero temió su reacción y prefirió ceder. Después, ya no fue posible dar marcha atrás.

—El contador Daguerre acaba de llegar, señor —anunció su secretario privado.

Repara en que Ganzúa, discreto como siempre, repasaba la *Enciclopedia Británica*. Lo había dejado hundirse en sus pensamientos, sin interrumpirlo.

—Discúlpame, Sebastián. A mi edad, y después de todo lo vivido, soy prisionero de mi pasado.

—No diga más, señor. Ya pasó todo. Déjenos festejarle como usted merece...

La última frase se pierde con los primeros sones del mariachi mexicano que Daguerre contrató para la ocasión. Las sonrisas vuelven a los rostros al escuchar la aguda voz del solista predilecto del agasajado, el propio Carlos: "Un viejo amooor... ni se olvida ni se deja".

Y los tres camaradas, como en los viejos tiempos pero sin miradas indiscretas ni invitados de compromiso, se funden en la ardiente —¿o ardida?— melodía.

—Nos falta el gordo. ¿Por qué no vino?

—Ya sabe usted, señor, cómo son los resentidos —responde Daguerre—. Está enojado con usted porque no lo incluyó en la lista de los presidenciables.

—Habría sido motivo de una carcajada nacional. Además, Pescueza jamás se podría sentar en la silla: la rompería con su peso. ¿Se acuerdan del ramalazo que se acomodó en Guayamasín? —comentó Ganzúa.

En cierta ocasión, Pescueza, entonces secretario de la Tierra, la Flora y la Fauna, concentró a todo un regimiento de aduladores para convencer al mandatario De la Tijera de que contaba con las cualidades necesarias de liderazgo, a la vista de la sucesión presidencial. Para el efecto, organizó una fiesta en la playa, en la cual se sirvieron sofisticados platillos elaborados con faisanes y gansos, así como mariscos procedentes de cada rincón de la geografía patria. Una verdadera orgía gastronómica en un marco paradisiaco. Entrada la tarde, hartos de bien comer y beber, los invitados decidieron continuar el festejo insólito; despacharon a los camareros y el "equipo" se quedó a sus anchas.

—¡Qué bai-le Pes-cue-za, que bai-le Pes-cue-za! —coreaban los colegas del gabinete.

Y Pescueza —¡no faltaba más!— trepó sus 120 kilos de humanidad a la mesa principal, pateó la cristalería y los platones con las sobras de la comelitona.

—Con su permiso, Adolfo... digo, señor presidente.

Ni tardo ni perezoso, Pescueza se soltó con un zapateado mejor que cualquiera de Lola, la Faraona. Pero la mesa no resistió: en lo mejor de la bailada crujió y, después, voló en pedazos. El frustrado danzante rodó por los suelos bajo un concierto de risotadas destempladas. Daguerre entonces, eufórico, estrelló su guitarra en la cabeza de Pescueza como colofón imborrable.

El presidente, ahogado por la risa, apenas pudo secarse las lágrimas. La diversión no cesó. Minutos más tarde todos bailoteaban, sin discreciones. Sólo dos de los comensales prefirieron poner cierta distancia de por medio: el ministro López Arenas y el eficiente secretario Ganzúa. Ambos, sin atreverse a'interrumpir la celebración, observaban cómo nadie añoraba las ausencias femeninas.

—Está tremendo esto, Sebastián —dijo, con preocupación, López Arenas.

—Más vale ponernos a buen recaudo. Uno nunca sabe...

—Por mí, me iría ahora mismo. Definitivamente, no me va muy bien el escandalito...

—No conviene, César. Menos ahora. Al contrario: debemos ser muy cuidadosos en nuestra relación con el jefe. Que no nos sienta ajenos ni que nos "cortamos" por puritanismo.

—Lo único que me consuela es que don Adolfo es incapaz de faltarme al respeto. Y esto, según dice mi padre, es un buen síntoma: nadie se atreve a comprometer a quien será su sucesor. ¿Entiendes, verdad? Si no me considerara, como lo hace, habría que suponer la inviabilidad de mis aspiraciones.

—Te quiere bien, lo sé. Y no intentará, por lo menos así lo creo, exhibir contigo sus debilidades.

Acertaron. Ahora, juegan al tenis todos los días en Los Laureles y comparten puntos de vista, generalmente coincidentes. Lo pasado es sólo anecdótico.

—Dime una cosa, Sebastián —preguntó López Arenas, intrigado—. ¿Es cierto que en una ocasión te permitió don Adolfo ponerte la banda presidencial?

—No es exactamente como lo cuentan. Sólo la colocó sobre mi pecho y dijo que me sentaba bien. Fue todo.

—¿Y te sentaba?

—No pude ni verme al espejo. Sentí, eso sí, una gran emoción. No esperaba una distinción semejante.

—¿Te gustaría volver a portarla?

—Sólo si es en serio, César. Como un juego sería irrespetuoso, ¿no lo crees?

El mandatario capta el mensaje, pero sin darle demasiada importancia. Aún es temprano para preocuparse por el ocaso. En cambio, le inquieta la recomendación que su antiguo maestro, De la Tijera, le hiciera cuando apenas comenzaba a despachar en Palacio:

—Tiene cerca a dos personajes de los que debe cuidarse, señor Presidente —le dijo, sin utilizar el tuteo que había caracterizado la relación de jefe a colaborador.

—¿Quiénes, don Adolfo?

—Uno es Díaz Torquemada. Convengo en que sobre este caso el responsable soy yo. Le pedí que lo mantuviera en primera fila y usted cumplió. Pero ignoro si conoce todos los antecedentes.

—La mayor parte de ellos, sí.

—Incluso… algunas historias…

—También eso, pero no se mortifique. Soy su amigo y tenga la seguridad de que nadie alzará la mano contra usted.

—Gracias, César. El otro es un hombre tenebroso: Manuel Cocom.

—Bueno, se trata de un artesano de la política, uno de los de más larga carrera de cuantos tenemos a la vista. Es tan hábil, que se ha adaptado con facilidad al *team* de jóvenes.

—El peligro reside en lo que representa a futuro… y lo que significa en el presente.

—¿Podría ser más explícito?

—Los amigos de Cocom... no son del todo extraños al narcotráfico. Y él, en apariencia, está metido hasta el cuello. Hay de por medio conexiones, lazos afectivos, incluso con Díaz Torquemada. Y no sería nada extraño que presionara, en su momento, para ser tenido en cuenta como presidenciable.

La tolerancia del régimen del señor De la Tijera hacia los zares de la droga había introducido un agravante a la proverbial corrupción del sector público. Salpicado por los asesinatos del poderoso cártel de la cocaína, el gobierno fue obligado por la Casa Blanca a comenzar una persecución, al principio tibia, contra los cabecillas. Cayeron algunos, pero crecieron los indicios de que desde las altas esferas del poder se dispensaba protección y tutela a los envenenadores.

—¿Quién es el número uno? Usted lo sabe, presidente De la Tijera. Dígamelo.

El inusual interrogatorio, a todas luces irrespetuoso, fue formulado por un miembro del Comité Multinacional para la Erradicación del Narcotráfico, organismo creado a expensas de la DEA, la agencia antinarcóticos del gobierno estadunidense. Y, en varias ocasiones, le fue planteada la misma serie de preguntas, a las cuales nunca respondió satisfactoriamente.

—Recuerden sus límites —concluía airadamente el mandatario cada vez que los investigadores lo acosaban. No obstante, las presiones obligaron a De la Tijera a permitir el libre acceso al territorio nacional de los agentes de Estados Unidos, quienes buscaban pruebas concretas de los nexos entre los traficantes y las autoridades del país.

Las pesquisas apuntaron hacia el entonces ministro de Guerra, José Alavez Garduño, Díaz Torquemada y varios gobernadores provinciales. De la Tijera protegió en la medida de lo posible a sus colaboradores. A pesar de ello, los procesos se iniciaron en Los Ángeles con el consiguiente sobresalto de los funcionarios aparentemente implicados.

—Pare usted esto, señor Presidente —clamó el militar Alavez, con los ojos nublados por el llanto—. Han puesto en entredicho la soberanía nacional, la dignidad de su gobierno. No puede ser.

—Desgraciadamente, hay testimonios de que un hijo suyo, general, tiene ligas profundas con los peores "capos". ¿Qué tiene usted que decir al respecto?

—Son mentiras infundadas, señor. Créame. Inventos de los gringos para desprestigiarlo a usted y tener pretexto para introducirse, a sus anchas, en nuestro país. No lo permita usted.

Pero no tuvo más remedio que ceder ante la gran potencia del norte. Ordenó al procurador general, Samuel Gutiérrez, que se coordinara con los norteamericanos, y hasta expidió un decreto para permitir el libre paso por los cielos nacionales de aviones militares estadunidenses, que supuestamente rastrearían, mediante sofisticados aparatos electrónicos, a los delincuentes. Ello originó la paulatina invasión del país y diversos enfrentamientos que pretendieron ocultarse a la opinión pública.

En las áreas fronterizas hubo, incluso, operaciones ocultas de los inefables soldados de infantería de marina, las cuales trascendieron porque fueron observadas por un diputado de la oposición, quien las denunció.

—Aquí están las pruebas. Vean ustedes estas fotografías en las que aparecen helicópteros y tanques del ejército de Estados Unidos dentro de nuestro país. ¿Qué explicación puede darnos de todo esto el presidente De la Tijera? ¿Acaso autorizó también la instalación de bases secretas, sin haberlo consultado con el legislativo? ¿Qué está pasando?

Como única respuesta, más bien dirigida a enfriar la vigorosa acusación que a entrar en materia, el general Alavez declaró enfáticamente:

—El operativo de referencia fue llevado a cabo por personal del ministerio a mi cargo. Son ejercicios normales, tendientes a incrementar las acciones contra el narcotráfico.

—¿Y los vehículos estadunidenses? —preguntó el congresista.

—Es una falsa apreciación: son aparatos de nuestras fuerzas armadas. No hay nada irregular —concluyó el militar.

Horas después de la aclaración, en la población norteña de Camaleones, un rancho fue bombardeado por los marines. El destacamento militar instalado en la región se limitó a permanecer acuartelado y sólo tomó conocimiento del hecho cuando ya se habían disipado los humos del ataque. Según se "filtró" a los medios informativos, el objetivo del insólito despliegue fue aniquilar uno de los refugios de Eduardo Cardós Gaviria, cabecilla del narcotráfico que se hallaba preso en la Penitenciaría Central. Durante la relampagueante operación, murieron catorce personas: dos hermanos del "capo" mencionado; cuatro infelices mujeres del servicio doméstico; seis niños, hijos de estas últimas, y dos guardias. El gobierno evitó toda explicación.

—¿Exactamente qué pasó, general Alavez?

—Nos invadieron, señor presidente. El acoso está en su apogeo.

—¿Por qué no intervinieron nuestros soldados?

—Los habrían masacrado y el asunto, entonces, hubiese cobrado otra dimensión. Opté por vigilar de cerca los acontecimientos. Mucho me temo que no pararán, si no les damos una víctima.

—¿A quién, general?

—Eso le toca a usted decidirlo. Por cierto, ya le están pisando los talones a un primo de usted, Felipe. ¿Lo sabía?

—General, nada tenemos que ocultar. Si es culpable, que enfrente las consecuencias; pero si no lo es, exigiremos una satisfacción.

—Él podría ser el cordero, señor.

De la Tijera no respondió. Y el silencio fue interpretado por el mílite como un aval. Una semana después, Felipe de la Tijera, primo hermano del presidente, fue trasladado en avión militar a Los Ángeles, donde se le recluyó en una celda de alta seguridad. Durante el proceso, arreció la campaña de desprestigio contra el gobierno de De la Tijera. Éste soportó el temporal porque, simultáneamente, aflojó la presión de la Casa Blanca. Parecieron conformarse. Y el presidente decidió tomar alguna ventaja. Llamó entonces a López Arenas.

—César, el integracionismo es inevitable. Lo entendemos así o seremos arrollados. ¿Cuál es tu opinión?

—En lo medular, coincido con la tesis. Es necesario adelgazar el Estado para darle mayor fluidez a nuestra economía. Y modificar nuestra legislación con objeto de posibilitar, sin restricciones, el arribo del capital foráneo. Definitivamente, nada ganamos aislándonos.

—Para ello deberemos contraer los salarios. El costo social será altísimo, pero no parece haber otro camino. Si liberamos nuestra economía, podremos negociar con los financieros de Washington, garantizando los futuros empréstitos con petróleo. El concepto es muy amplio. ¿Crees que estemos en posibilidad de implementarlo?

—Para comenzar, sólo hace falta la decisión suya. Y, según veo, ésta ya fue tomada. Ahora bien: el proceso será largo y difícil.

—Debemos acelerarlo. Lástima que no contemos, como en Estados Unidos, con un *fast track*.

—Bueno, en realidad sí disponemos de un equivalente: basta una orden de usted para precipitar los acontecimientos.

—Pues… sí. Entonces, el primer paso es reducir la inflación. ¿Qué recomiendas?

—Un plan de choque con ligeras variantes: el congelamiento de salarios y precios debe ir a la par con una rabiosa actividad bursátil. Así habrán de generarse recursos y con este señuelo podremos atraer divisas, mediante el retorno de los llamados "capitales golondrinos".

—Instruméntalo, César, sin pérdida de tiempo.

En ese momento, López Arenas "sintió" que había ganado la presidencia. De su cuidado y habilidad dependería el éxito —y la continuidad— de los propósitos superiores. También, era cierto, la puesta en marcha del programa conllevaría una fuerte dosis de impopularidad.

—Debemos cuidar al presidente, ¿pero quién pagará los platos rotos? Si las baterías apuntan contra mí, ¡adiós aspiraciones! —explicó López Arenas a su padre.

—Escucha m'hijo: procura hacerte cada día más indispensable —respondió Francisco López Del Castillo, quien le recomendó cautela y audacia—. Exhibe las causas de la irritabilidad pública como "males necesarios" que no deben exagerarse. Si se mantiene en términos de tolerancia la relación gobierno-gobernados, será posible amortizar el costo de la impopularidad. Sin duda, éste es el secreto del triunfo.

Por supuesto, las intrigas trataron de responsabilizarlo del creciente desempleo y la súbita caída del poder adquisitivo. Los grandes inversionistas, en cambio, mostraron buena cara: sus haberes crecían al influjo de la Bolsa de Valores, pese a que el circulante disminuía dramáticamente. Entonces, López Arenas decidió medir su fuerza. Y se reunió con el jefe del país.

—De nada sirve intentar reorganizar el gasto si en la Tesorería mantienen la distensión fiscal, supuestamente para evitar estallidos. No tiene por qué haberlos. Se lo aseguro, señor presidente.

—Chocaste con Saúl —Arroyo Hernández, secretario del Tesoro y uno de los más viables aspirantes a la silla presidencial—, a causa del Plan de Reordenación, lo que era de esperarse. Pero si paralizo las obras y cancelo subsidios y prestaciones, ¿quién responderá por las consecuencias?

—Sería un acto patriótico que lastimaría su imagen sólo momentáneamente. Luego, estoy seguro, vendría la reivindicación y la justicia histórica. Pero no se vale que las políticas económicas se opongan entre sí. ¿Qué queremos? ¿Mantener la demagogia de una justicia social improductiva o rescatar a la nación de la asfixia mediante la integración paulatina con América del Norte? En sus manos está, señor.

—Hay un camino natural, el que sugieres, y otro, lleno de obstáculos, para mantener la ficción interna.

—El otro no es una vía sino una desviación, señor.

—Pero ¿cuántos lo entenderán así?

—Créame, señor presidente, y verá usted los resultados positivos. Dicho esto con todo respeto.

—Por supuesto, tú valoras lo que está en juego, ¿verdad?

—Perfectamente. Confíe en mí, permítame actuar con entera libertad.

Quince días después, de manera sorpresiva, el vocero oficial anunció la renuncia, "por motivos de salud", del secretario del Tesoro, Saúl Arroyo. Era la validación a las tesis de López Arenas y su carta de victoria. El camino, en lo político, parecía despejado. Faltaba medir la resistencia popular.

Como había calculado el patriarca López del Castillo, la relación de su hijo menor con el presidente se estrechó. De la Tijera, por su parte, reconocía en César al artífice del nuevo orden, si bien no desaparecía la preocupación ante los brotes de rebeldía promovidos por una inquietante oposición a la que debía tolerarse pues, de lo contrario, se corría el riesgo de una penetración "yancófila", indeseable para el grupo dominante.

Para Juan Díaz Torquemada, el proyecto de López Arenas fue un detonante. El "gerentito" —como le llamaba— tomaba la delantera y lo hacía con amplia ventaja sobre los demás. Como buen estratega, el secretario del Interior estudió los puntos oscuros, analizó las perspectivas populares y concluyó que podía aniquilar a su rival, si la rebeldía cívica llegaba a las puertas de Palacio. Llamó entonces a Jaime Olaguíbel, bujía de la investigación política y hombre de todas sus confianzas.

—Vamos a actuar, Jaime, con sentido de la realidad. Primero, necesito que me pongas al tanto de todas las inversiones de la familia López Arenas; después, es necesario prender alguna hoguera para quemar en ella a los pobrecitos técnicos que no ven más allá de sus narices.

—¿Una hoguera, ha dicho? ¿Con qué materiales?

—Los inflamables abundan en materia política. Vamos "filtrando" alguna información comprometedora...

—¿Se refiere usted a las fotografías del "señor"?

—Podría ser. Con ello debilitaríamos al jefe y nos convertiríamos en sus niñeras. Ya sabes que está poco acostumbrado a las tormentas y, seguramente, pondrá el grito en el cielo.

—¿No sería contraproducente?

—Sí, en el caso de que erráramos. Lo interesante sería desatar el escándalo; luego, frenarlo... y venderle el servicio al patrón. Mantendríamos así su mente ocupada, mientras nosotros avanzamos.

—¿Quién sería el hombre adecuado?

—El columnista José Antonio Maldonado. Ya he comenzado a "arreglar" el asunto. El periodista está en espera de la confidencia que ya le ofreció Luis Manuel Zamarrero —jefe de la policía secreta—. Mataremos dos pájaros de una pedrada: le proporcionaremos información útil para nuestros fines y, al mismo tiempo, lo comprometeremos. ¿Qué tal?

La maquinación cobró forma. En su audiencia con el presidente, cabizbajo y con señales de mortificación, Díaz Torquemada anunció:

—Señor presidente, debo prevenirlo. No sé por cuál vía, pero el informe aquel, ése que tanto le disgustó, llegó al parecer a los diarios.

—¿Qué está usted diciendo? Pero ¿cómo? ¿Por qué no lo evitó?

—Ignoro quiénes sustrajeron los documentos, pero el columnista José Antonio Maldonado los tiene. O, por lo menos, copias de ellos.

—Detenga este asunto, Juan, de inmediato. No mida esfuerzos ni recursos. Hágalo ya.

—Sí, señor presidente.

Media semana después, el cadáver del periodista fue hallado en una barranca al sur de la ciudad. Presentaba huellas de haber sido torturado; sin embargo, en los resultados de la autopsia, los legistas evitaron referirse, por indicaciones superiores, al tiro de gracia que perforó la masa encefálica. Díaz Torquemada se apresuró a declarar:

—No cesaremos en nuestro empeño por esclarecer el caso y consignar a los culpables. Tengo instrucciones del señor presidente de la República en el sentido de proceder con la mayor diligencia hasta dar una satisfacción a la opinión pública. El caso es muy grave y, seguramente, obra de anarquistas que intentan desequilibrar la buena marcha del país. Los informes iniciales apuntan hacia elementos vinculados, incluso, con el narcotráfico.

—¿Existe alguna relación entre lo publicado por el colega y su crimen? —preguntó un reportero.

—Estamos analizando esa posibilidad.

—¿Lo asesinaron a causa de alguna noticia que se disponía a difundir...? —inquirió otro periodista.

—Revisamos sus archivos personales para establecer una hipótesis válida.

—El cadáver ni siquiera estaba enterrado. ¿Cómo es posible que la policía tardara en descubrirlo tres días? —interpeló otro corresponsal.

—Desde la calle no se tiene suficiente visibilidad del sitio en donde encontramos el cuerpo. Ahora bien, el comandante Zamarrero fue el primero en enterarse. Quizá él pueda abundar en la materia.

—¿No hay ningún sospechoso? —interrogó abruptamente otro columnista.

—Como ha dicho el señor secretario, apenas estamos estableciendo algunas pistas. No podemos revelar más porque, como es lógico suponer, alertaríamos a los sospechosos.

—¿Se descarta un móvil político? —intervino otro miembro de la prensa.

—Por supuesto. No aceptamos una especulación en ese sentido. El respeto a la libre expresión es irreversible en nuestro país y un compromiso histórico del presidente De la Tijera, tal y como se ha demostrado durante su régimen. En lo personal, perdónenme por referirme a ello, estoy muy afectado, ya que Maldonado fue un amigo cercano. Es una pena.

Luis Manuel Zamarrero, oscuro litigante, había labrado una considerable fortuna al lado de Díaz Torquemada. Y confesaba, a quienes deseaban escucharlo, que alguien debía "hacer el trabajo sucio para que los demás duerman tranquilos. No es nada agradable. Les doy mi palabra".

Habilidoso, Zamarrero era responsable de la atención a ciertos "periodistas" clave, cuyos vicios avivaba: a unos les proporcionaba coca; a otros, mujeres o "chicos" a granel. En fin, les concedía todo lo imaginable con tal de tenerlos comiendo en su mano, siempre dispuestos a servir "a las instituciones".

Y le había tocado preparar el terreno para la "desaparición" de Maldonado, con quien mantenía cierta relación, de acuerdo con las instrucciones de su protector, el ministro del Interior.

—Te tengo una "bomba", José Antonio. Con ella vas a ser figura clave en el asunto de la sucesión. Y, por supuesto, jamás olvidaremos tus servicios.

—¿De qué se trata? Ya sabes que no me gusta andarme por las ramas.

—Sencillo: tengo en mi caja fuerte las pruebas que necesitas para señalar a los reyes del narcotráfico. Es decir, sus contactos en el gobierno. Los más altos.

—¿Todos? ¿Acaso quieres revelar hasta dónde llega la madeja? El gobierno va a temblar...

—Será un sacudimiento interesante, pero así pondremos punto final a las presiones de los gringos y despejaremos el camino... ¿Te interesa?

—Por supuesto. ¿Qué debo hacer?

—Dame unos días. Te avisaré, en clave desde luego, el lugar de la cita. No vayas en tu automóvil y procura presentarte solo. No te impacientes.

Maldonado cumplió a medias. Acudió al punto acordado, ubicado en pleno cinturón de miseria, en un minitaxi. Además, le pidió al conductor que le aguardase. Caminó hasta el filo de una barranca y ahí estaba Zamarrero quien, al verlo, extendió los brazos:

—José Antonio, ¡bienvenido!

Y llovió metralla. El columnista no tuvo tiempo ni para reaccionar. Por la espalda y los flancos le acribillaron a placer. El taxista, horrorizado, huyó. En realidad, los matones lo dejaron marcharse, pero anotaron el número de placas del vehículo y la filiación del sujeto. Veinticuatro horas más tarde, el infeliz, junto a toda su familia, falleció a consecuencia de una fuga de gas en su domicilio. Ninguna relación se estableció entre esta tragedia y el homicidio.

"Ahora, sólo falta introducir este 'paquetito' a la oficina de mi ilustre amigo Maldonado", reflexionó Zamarrero, sin experimentar ninguna turbación.

En Los Laureles, ya entrada la noche, Díaz Torquemada medía sus posibilidades antes de ser recibido por el presidente, quien se mostraba apesadumbrado desde el momento en que le fue transmitida la noticia, que en realidad no esperaba. Era necesario hacerle sentir culpable, aunque fuese moralmente, pero sin comprometerse demasiado.

—Juan, ¿cómo pudo pasar algo así?

—Mire usted, señor presidente: cuando se realiza un operativo de esta naturaleza, siempre existe el riesgo de que un error obligue a extremar las cosas. Le ordené a Zamarrero que secuestrara a Maldonado, nunca que lo matara. Un susto, nada más. Y ya ve usted.

—Exactamente, ¿qué pasó?

—Como Zamarrero no tuvo cuidado al escoger a su personal, el periodista reconoció a uno de ellos, lo amenazó... y el aludido, temeroso, prefirió liquidarlo. Luego, arrojaron el cadáver a un basurero. No me explico por qué tardaron tanto en encontrarlo.

El escándalo obligó al gobierno a crear un organismo especial —fiscalía, le llamaron— para investigar los sucesos que se habían fraguado a instancias del Ministerio del Interior. La farsa era muy similar al quehacer de la mafia siciliana, siempre presente en los funerales de sus víctimas. Cuando la protesta de la prensa alcanzó niveles alarmantes, la "superioridad" dispuso que se ofrendara la cabeza de Zamarrero en señal de "imparcialidad".

—Luis Manuel, ni modo. Nunca creí que la jauría periodística llegara a tanto. Dudan ya hasta del señor presidente y es necesario cerrar el caso. Usted es un hombre leal y entenderá... —explicó Díaz Torquemada.

—Leal, pero no tarugo. No está insinuando usted que me entregue, ¿verdad?

—Tómelo como un buen consejo. Nada le faltará y los suyos estarán libres de presiones. Además, después del juicio maquinaremos su libertad.

—Pero ¿por qué?

—Mire: usted es el eje de las sospechas porque ocultó el crimen durante tres días, a sabiendas de quién se trataba. Este "desliz" lo puso al descubierto y hace muy conflictiva nuestra posición. Son gajes del oficio. Además, será cosa de semanas. Lo arreglaremos y usted saldrá libre... y bien "forrado".

Zamarrero fue presentado como el autor intelectual del homicidio porque, supuestamente, la víctima poseía información vital acerca de la conducta deshonesta de las agrupaciones policiacas. En el almacén de datos de Maldonado, aparecieron cifras y nombres relacionados con operativos de extorsión. Hubo saña contra el ex agente, degradado por recomendación de la Procuraduría y presentado como un caso extremo de la corrupción "que el señor De la Tijera está decidido a finiquitar". Luego vino el aplauso unánime.

Díaz Torquemada había ganado un *round*, mas no la guerra. Los medios informativos enseñaron los dientes pero también sus veleidades, y nunca se puso en peligro a la figura presidencial. Ocurrió, entonces, el segundo episodio: la viuda de Maldonado descubrió, entre los papeles personales de su marido, un extraño legajo, cosido burdamente, "muy confidencial". Luego de leerlo, solicitó audiencia con el presidente, quien la concedió sin demora, seguro de poder obtener alguna ventaja publicitaria.

—Señor, vengo a darle las gracias por sus amabilidades. Pero hay algo que me inquieta. Mírelo usted.

De la Tijera, con aire jovial, recibió el expediente y comenzó a hojearlo. De repente, palideció. Al concluir la apurada revisión de los documentos, no parecía muy en sus cabales.

—Señora... ¡cuántos infundios se inventan para agraviar al presidente! ¡Qué barbaridad! No habrá usted creído en semejantes patrañas...

—Sólo me extraña que José Antonio tuviera consigo estas fotografías. Y esta... persona... se parece tanto a usted...

—En absoluto, señora. Le ofrezco mis respetos y tendrá noticias mías en muy poco tiempo. Gracias por haber venido. ¡Ah!... Y mi más sentido pésame.

El presidente la acompañó hasta la puerta de su despacho. Enseguida, contrariado, llamó a Díaz Torquemada por la red privada.

—¡Oiga! El caso Maldonado sigue complicándosenos. Supongo que usted nada tiene que ver... pero hay tantos vericuetos.

—No entiendo, señor presidente. ¿Qué sucede?

—La viuda sabe mucho. Mándele una abundante pensión... y luego la invita a salir del país.

—Entiendo, señor. Así se hará.

Horas más tarde, Jaime Olaguíbel, el subministro, disponía lo necesario en la casa de la familia Maldonado: dólares, pasaportes, etcétera.

—Pero ¿tiene que ser tan rápido? —preguntó la viuda.

—Tememos por su vida y la de sus hijos. La mejor manera de garantizar la seguridad de todos es que salgan del país por una temporada.

—¿Tardaremos mucho en volver?

—No más de un semestre.

Sin embargo, el avión especial, con la viuda de Maldonado y sus cuatro hijos, no arribó a ninguna parte. El radar lo perdió apenas salió del territorio nacional. Pero nada se dijo y para todos, incluyendo los familiares que se quedaron, la familia prolongó indefinidamente su viaje, si bien algunos parientes se inquietaron por la falta de cartas y telefonemas.

Poco tiempo después, durante una reunión de trabajo, el mandatario mostró curiosidad por el destino de la familia Maldonado:

—¿Dónde los tiene, Juan?

—En sitio muy seguro —respondió, sonriendo enigmáticamente, Díaz Torquemada—. No se preocupe, señor.

—¿No pasó nada más? ¿Un accidente, por ejemplo?

—Le aseguro que no. A nadie le habría convenido. Le repito, señor: mientras yo esté por aquí...

—Ya oí eso alguna otra vez y los resultados no fueron afortunados. Limítese a cumplir, Juan, y yo haré lo propio. ¿Le parece?

La actitud del presidente le incomodó. No podía abonar a su causa la evidente desconfianza que ya le tenía el "supremo elector". Y comenzaron a surgir los rumores de que saldría del ministerio para convertirse en candidato a gobernador de su provincia natal. Inquieto, telefoneó a Humberto Pérez Rojas, jerarca del PIR:

—Humberto, ¿De la Tijera te sugirió que me pusieran en la lista?

—No —respondió el interlocutor sin ocultar un dejo de ironía—, los sectores del partido tienen muy en cuenta tus méritos.

—¡Por Dios, Humberto! Bien sabemos cómo se manejan estas cosas.

—Y tú sabes que no puedo comprometer al presidente. Conoces las reglas del juego mejor que nadie.

—Pero somos amigos. Mira: ponle punto final a la especulación. Sabré corresponder.

En cuanto colgó, Pérez Rojas informó de la conversación telefónica al presidente y luego al secretario de éste.

—¿Qué te parece, Sebastián?

—Muy sencillo: se está ahorcando con su propia soga. Y es que nadie puede chantajear al jefe de este país.

—¿Chantajear? ¿A qué te refieres?

—Olvídalo. Otro día hablaremos. Me llama el señor presidente. Hasta luego.

Díaz Torquemada no cedió en su ofensiva, cada vez más desesperada. Reunió los datos relacionados con las inversiones de los López Arenas, quienes siempre habían contado con información anticipada sobre las variacione bursátiles y las devaluaciones, y cuya fortuna se había triplicado, en consecuencia, por obra de la especulación. Y guardó el expediente para la negociación final. César López Arenas no lo olvidaría.

Los matrimonios Díaz Torquemada y López Arenas, siguiendo la recomendación presidencial de que "limaran asperezas" y se dejaran ver juntos, deambulaban por diversos centros culinarios. El día que fueron a comer a la Fonda La Lupita, de añejo prestigio, algunos comensales ofrecieron sus sitios a los recién llegados y permanecieron de pie en espera del saludo final. La charla, por tanto, tuvo que desarrollarse en voz apenas audible.

—Creo que tú serás, César. Lo veo venir de manera muy clara.

—¿Por qué lo dices?

—El señor confía en ti, no en mí. Tengo la sensación de que sólo me tolera para no dar muestras de debilidad estructural frente a la disidencia. De alguna manera, conviene que me consideren "de mano dura", a fin de compensar ciertas tibiezas.

—Me extraña oírtelo decir. En lo personal, creo en De la Tijera. Quizá ésta sea la diferencia en lo que tú señalas.

—¿Ya ves? Hablas como si fueras su sucesor. ¿Seguro no te ha dicho nada?

—¿Y a ti? Todos estamos en las mismas.

—En fin, si te toca, ¿puedo esperar algo?

—Recuerda que yo siempre cumplo mi palabra. Por cierto, ¿conservas un duplicado del informe referido a los negocios de mi familia, aquel que entregaste al presidente?

—Lo destruí.

—No lo creo. En verdad, me gustaría tener una copia. Sé que no te causará problemas reproducir el duplicado que se halla en tu poder.

—Te aseguro, César, que no lo conservo. ¿Para qué? Quiero que aceptes, ahora que en apariencia nada está aún decidido, mi lealtad. Que nuestras esposas, que son tan buenas amigas, sean testigos de calidad.

Interrumpieron la comelitona para darse un abrazo. López Arenas, con una sonrisa forzada; Díaz Torquemada, sin reprimir una abierta, sonora carcajada.

Dos semanas después, De la Tijera insistió:

—No te separes de Díaz Torquemada, César. Es muy peligroso.

A López Arenas le molestaba profundamente constatar la ausencia de mando en quien tanto admiraba. "Él puede, de un plumazo, acabar con las intrigas. Le basta con cesar a Díaz Torquemada y ponerlo bajo custodia si el caso lo amerita. Juan no se atrevería a replicar. No es tan tonto", cavilaba y trataba de ocultar su contrariedad.

—Bueno, basta de política —dijo el mandatario, quien dio por concluida la digresión—. ¿Cómo van nuestros números?

Y entraron en lo suyo. El país marchaba sobre el papel, aunque los eternos inconformes no lo reconocieran. Hundidos en las operaciones matemáticas, no podían captar el explicable malestar general.

—La historia, don Adolfo, le hará justicia. Sus sacrificios no serán en vano. Le doy mi palabra.

Y el presidente, halagado, apretó ligeramente el brazo derecho de su leal colaborador:

—Gracias a ti, César. Has sido el eje de todo.

Las dudas, si alguna vez las hubo, se aclararon.

3

Tres helicópteros Puma aterrizan en el casco de El Vellocino. Del segundo de ellos desciende el jefe de la Guardia Presidencial, el general Gabriel Petterson y, enseguida, el presidente César López Arenas. El aire generado por las hélices obliga al mandatario a entrecerrar los ojos y apresurar el paso. Ya cerca de la residencia, sonríe complacido al descubrir a su padre y a su hermano mayor, quienes lo esperan en el pórtico.

—¡Bienvenido, m'hijo!

—Hola, papá. ¿Qué tal, Pancho? ¿Está todo bien?

—Aquí no hay tensiones y eso ya es ganancia —responde el primogénito.

—Quisiera montar a caballo. ¿Está ensillado Siete Leguas?

Solícito, el caballerango conduce al espléndido alazán, cuyo nombre se inspira en aquél de la jaca del célebre guerrillero mexicano Pancho Villa. Enjaezado con una silla charra, bañada en plata, el potro agita la cabeza como pidiendo a un jinete experto.

—Vamos pues —exclama el presidente al tiempo que monta con gallardía. Como en los viejos tiempos.

Años atrás, en su época de estudiante universitario, César había formado parte de la delegación ecuestre de su país durante los Juegos Panamericanos. Para ello adquirió en Canadá dos magníficos equinos, educados según los cánones de la alta escuela, y se esmeró en entrenarlos. Cuando llegó el día de la partida, exigió un trato preferencial para los animales:

—Deben ir bien asegurados y acompañados de dos vigilantes cada uno. A la menor turbulencia, hay que tranquilizarlos. No los vayan a descuidar, por favor.

No quería separarse de sus potros. En el último minuto, francamente angustiado por el destino de sus muy apreciados caballos, pidió y obtuvo el permiso necesario para viajar con ellos.

—¿Quiere usted llevar la pistola... por si acaso? —preguntó tímidamente uno de los ayudantes.

—¿Cómo te atreves, imbécil, a hacerme semejante sugerencia? Todos vamos a llegar vivos, pase lo que pase.

El mal tiempo imperante sobre Panamá inquietó tanto a los animales que el capitán de la aeronave exigió adormecerlos. César se negó vehementemente.

—Si los inyecto, voy a afectar su rendimiento. Aterrice y reanudaremos el viaje cuando mejoren las condiciones.

—Jovencito: ¿sabe lo que me está pidiendo?

—Una maniobra no muy difícil. ¿O sí?

—¿Pretende modificar el plan de vuelo sólo para no molestar a las jacas ésas?

—Ignorante: las jacas son caballos de escasa alzada, muy distintos de éstos. Y le exijo que proceda como le he dicho. Si no, va a pesarle.

Sin embargo, el capitán continuó el vuelo, mientras el deportista López Arenas sudaba apaciguando a sus corceles.

—¡Díganle a ese patán que aterrice! —gritó en repetidas ocasiones.

Y el piloto, una y otra vez, contestó con palabras altisonantes. Cuando llegaron, varias horas más tarde, uno de los animales tenía fracturada una pata.

—Es usted un pendejo. Mire lo que hizo —vociferó César, antes de abofetear al aviador. Éste respondió la agresión dando un tremendo puñetazo al estómago del jinete.

Separados, el impetuoso joven López Arenas tuvo todavía suficiente aire para lanzar una amenaza:

—Jamás, óigalo bien, voy a olvidar esto.

A pesar del desafortunado accidente, al equipo nacional le fue bien en las pruebas: obtuvo la medalla de plata. Por su parte, César López Arenas, montando a Campeón, se llevó el bronce por su actuación individual. Pero la euforia no disipó el disgusto inicial.

El capitán Mario de los Reyes fue cesado casi de inmediato. Y al comenzar el sexenio de López Arenas, se le recluyó en un hospital siquiátrico. Sus vecinos aseguraban que jamás dio muestras de padecer alguna afección mental. Que había trabajado diligentemente como mecánico para sacar adelante a los suyos. Pero la sentencia se cumplió inexorablemente.

—Papá, ¡qué bien me hace el aire de nuestro campo!

—Te acostumbraste a respirarlo y ahora lo extrañas, metido como estás en el ojo del huracán. Por cierto, ¿ya vas pensando en tu sucesión? —pregunta don Francisco, quien monta un magnífico corcel.

—Ese asunto casi se ha convertido en una obsesión para mí. Me gustaría decirte que ya tengo resuelto el acertijo, pero no es así. Quizá ello se deba a que pienso más en los defectos que en las virtudes de los posibles candidatos.

—¿Y la reelección?

—¡Ja, ja, ja! ¿También tú? Sabes bien que insinuar algo al respecto sería muy temerario y difícilmente exitoso.

—Pero no más complejo que algunas de las reformas que has emprendido. ¿Recuerdas la maledicencia de Ramón —el eterno líder obrero— y de los sindicatos, cuando cancelaste las "prerrogativas del ocio"? Ni qué decir de la desaparición del ejido y la desincorporación de la mayor parte de las paraestatales. O del acuerdo liberador de nuestro comercio y el plan favorecedor de una productividad sin subsidios de ningún género. Te acuerdas de la furia de los de la Izquierda Unida? Dijeron que habías sepultado la justicia social. Y no pasó nada.

—Han sido tiempos muy difíciles pero, definitivamente, creo que hemos sabido conciliar.

—Por eso surgen de manera espontánea las voces de quienes piden que te quedes.

—¿Son sinceras? ¿O más bien reflejan el temor hacia el poder que ejerzo sin contemplaciones?

—De todo hay. Lo importante es que cuando el río suena... Nadie vería con extrañeza una postulación en ese sentido.

—Sería la mayor de nuestras audacias.

—Una vez le dijiste a tus amigos que al llegar a la cima nadie te bajaría de ella. ¿No es así?

—Entonces jugábamos... Mira: no voy a negártelo. El poder me seduce por completo. Es más, no sé cómo puede vivirse sin él. Es grande la responsabilidad pero mayor la satisfacción del mando. Vaya, hasta comienzo a sentir nostalgia... cuando aún me restan casi dos años en la presidencia.

—¿Lo ves? Nadie te conoce mejor que tu padre. Quieres quedarte, pero no te atreves a iniciar el operativo. Argumentos tienes de sobra: garantizas el equilibrio necesario para enfrentar la era del integracionismo, cuentas con un respaldo popular que no tenías hace cuatro años y eres, además, muy joven. ¿Te imaginas como "ex" a los 46 años?

—Esa idea me asaltó hace unos días. ¡Caramba! A esa edad, otros apenas comienzan a madurar. En lo personal, me siento fuerte, vigente, entero. La mera verdad es que no soporto la idea del retiro.

—Además, el que se quede en tu lugar no te permitirá actuar a tus anchas. Vas a ser una sombra muy latosa.

—Bueno, algo me darán. Ya ves lo bien que me he portado con don Adolfo... y espero recibir el mismo trato del próximo.

—No lo recibirás. Tu presencia ha sido intensa, permanente. La movilidad de tu régimen vuelve caducas las noticias en cuestión de horas. Si alguien ha sabido adaptarse al dinamismo mundial, ése has sido tú, m'hijo. Por lo mismo, van a limitar tus alcances. Quizá, por cortesía, te concedan algún cargo honorario... y lejano.

—Pero no olvides que los aspirantes, todos, son mis amigos y me respetan.

—¡Por Dios! Lo que más quieren es el poder y éste no se comparte. Una vez que lo obtengan, evitarán las acechanzas "del pasado". Ahora... vamos poniéndole nombre al niño. ¿Confías en Ernesto Ulibarri?

—Es un colaborador extraordinario y amigo garantizado. Como político, ha mostrado ser una verdadera revelación y mantiene la metrópoli bajo control. No me disgustaría que él fuera...

—Por lo que veo, va a la delantera. Bien, no le niego sus méritos. Pero voy a contarte algo: un escritor amigo mío —no me preguntes su nombre por ahora— me adelantó que pretendía entrevistar a los ex presidentes y redactar un ensayo político que sirviera para explicar algunos de los rezagos con que te has enfrentado. La idea me pareció viable y noble. Vino a verme porque temía la censura.

—¿Méndez Duarte? Me envió una carta explicándome lo mismo. Le respondí que no pondría objeción alguna.

—¿Le contestaste directamente?

—No... me parece que le pedí a Ernesto que tomara cartas en el asunto.

En efecto. Ulibarri le habló y lo invitó a comer. Durante la charla, muy grata según me contó el escritor, nuestro Ernesto lo paró en seco. ¿Sabes qué le dijo?

—Supongo que le transmitió mi mensaje.

—Lo hizo, por supuesto, pero fuera de contexto. Desmenuzó las llamadas "reglas de oro" de nuestro sistema y luego lo puso en jaque: "En lo personal, creo que los ex presidentes no deben hablar. Resulta inconveniente, porque agitan las aguas y trastocan los valores políticos. El licenciado López Arenas no lo vería mal, pero tampoco sería de su agrado". Palabras más o menos, eso dijo.

—Bueno, lo interpretó a su manera. No tiene mayor importancia.

—La tiene por varias razones: en primer lugar, desvió una indicación tuya y, en segundo, lanzó una advertencia que, si la analizas, está dirigida a ti. Además, se encargó de desalentar a De la Tijera. Y los otros dos, Jerónimo Lamberto y Caparroso de la Vega, al enterarse de la negativa de don Adolfo, también desistieron. Faena completa.

—Y, entonces, ¿por qué recurrió a ti Méndez Duarte?

—Muy sencillo: buscaba otro canal para llegar al presidente y convencerlo. Pero consideré inadecuado contradecir el planteamiento de Ulibarri, porque habríamos dado la impresión de que existe un enfrentamiento. No olvides que este escritor es muy listo.

—Así que el buen Ernesto no quiere que los ex presidentes hablen.

—Y si él llega a la primera jefatura del país, tú te convertirías en el ex presidente más incómodo para él. Ten esto en cuenta.

—¡Caramba! Me mandaría al asilo, sin posibilidad de retorno. Esto confirma mi tesis acerca de sus precipitaciones: mostró, antes de tiempo, el peor de sus inconvenientes.

—Y así por el estilo son los demás. El capitán Ramírez Casas tendría oportunidad de llamarte "niño", aspiración que por ahora le está negada. Valdés de Rodas es más celoso que Ernesto, sobre todo en lo que toca al área de sus influencias.

—Bueno, de eso yo soy un poco culpable. No le he dejado las manos libres en el PIR y se ha vuelto muy susceptible. En fin, la cosa está que arde...

Pancho ha permanecido en silencio, cabalgando a prudente distancia. Poco a poco alcanza al presidente y al emparejarse con él suelta la frase:

—Formamos un buen dúo, ¿no?

—Desde siempre. Oye, ¿nos echamos "El rey"?

Casi desilusionado, el mayor de los hermanos lleva la segunda voz. Le entristece que César ni siquiera haya reparado en la doble intención, para él clarísima. "La tomó, exactamente, por donde no quería. Y aquí estamos de cancioneros en medio de la pradera", pensó Pancho, desanimado.

Sin embargo, para el patriarca no pasó desapercibido el rechazo: "César es demasiado vivo como para no haberse dado cuenta de la insinuación. Tiene en mente alguna idea, ha acabado de madurarla".

—Más tarde —susurra don Francisco al presidente—, me gustaría hablar contigo... a solas.

—Claro, papá —responde, guiñando—. Ahora quiero galopar un poco.

Al terminar el paseo, aún sudorosos, padre e hijo vuelven a la carga. Pancho, siguiendo una señal del "viejo", opta por ir directamente a tomar un baño.

—Ya sé lo que vas a decirme, papá. ¿Te preocupa Pancho?

—Más bien, me preocupas tú. ¿No has pensado que...?

—¡Claro que sí! Entre la reelección y la continuidad familiar no habría más que las apariencias. ¿No es eso?

—Entonces, ¿sabías...?

—Sospechaba, como es lógico. Pancho es ambicioso y nunca se ha conformado. Pero en su interior el ánimo de rivalidad no está apagado. Al contrario: se siente desplazado, ansioso de llegar también a las alturas. No es ningún secreto, creo yo.

—Pero nadie mejor que él te cuidaría las espaldas.

—Eso también es relativo. Ten en cuenta que las envidias y celos familiares son los peores: "De los parientes y el sol, mientras más lejos mejor".

—¿No lo dirás por mí?

—¡Hombre, que sea menos! Ya tendremos ocasión de analizar lo de Pancho. Por lo pronto, hay que ponerlo en el aparador. Francamente, ha sido muy discreto, pese a sus responsabilidades.

—Lo que confirma su lealtad y admiración hacia ti. Otro se habría desbordado. ¿Te has fijado que nadie habla de "nepotismo"?

—No lo permitiría. Sucede que me conocen de sobra y quienes podrían mencionar el tema saben cuál sería mi reacción. No soy un mojigato como don Adolfo, ni un frívolo como Caparroso y de la Vega. Ambos dejaron que las aguas les llegaran al cuello. Yo no.

—Volviendo a Pancho...

—Hay que ir con mucho tiento, papá. Déjame, primero, medir el terreno. No le digas nada, ni siquiera que hemos hablado sobre el tema. Que sufra un poco. Mientras voy a calarlo fuertemente. Cuidándolo, claro.

—Es una posibilidad, ¿no? Vas a poner a temblar a quienes ya se sentían seguros.

—Nuestra habilidad consistirá en que no se den cuenta... hasta que nos convenga. Un giro de esta magnitud, tan de madrugada, podría ser contraproducente. La caballería se desbocaría hacia el precipicio. Y la decisión debe parecer natural, fresca y, sobre todo, oportuna. Bueno... si es que llego a tomarla.

—Lo harás, estoy seguro, lo harás.

El presidente desvía la mirada. En el fondo, la conversación le inquieta. ¿Cómo negarse sin desilusionar a ambos? ¿De qué manera conservar la unidad familiar hasta el final? "Lo que me piden es más de lo que puedo garantizarles. Inclinar la balanza de la sucesión hacia

Pancho sería tanto como condenarme históricamente. Claro que el proyecto es viable, pero muy peligroso", reflexiona el mandatario.

Francisco López Arenas sufre taquicardia. El baño no lo liberó de la angustia. Pegado al teléfono repite, una y otra vez, las órdenes.

Actúen, pero limítense. Aunque hay fondos, debemos manejarlos con prudencia.

Desde principios de año, el presupuesto disponible para el Prone había disminuido sensiblemente.

—Pancho —le había comunicado, escuetamente, el primer mandatario—, las disponibilidades no serán tan amplias para este ejercicio. No podemos vender más empresas del Estado ni distraer al presupuesto de las prioridades.

—Recuerda que tu popularidad se sustenta en el programa.

—Me lo repito a cada instante, Pancho. Por eso, el reto será mayor para ti: es hora de elevar los rendimientos políticos de cada acción. Además, no es difícil que modifiquemos la concepción original. Requerimos de proyectos productivos, no sólo felices.

—¿Y los marginados?

—Definitivamente, debemos pensar en ponerlos a trabajar.

—No te lo perdonarán —respondió en tono de broma antes de sumarse a la carcajada del presidente de la República.

Como administrador, Francisco había sido pulcro, aunque también es cierto que gozaba de un trato ventajoso: no sufría la persecución de los contralores que asolaban a los demás funcionarios. Disponía a sus anchas de recursos amplísimos sin rendir cuentas a nadie, ni siquiera a su hermano, quien se limitaba a conocer la relación de las obras ejecutadas y el impacto político de las mismas. Situación que provocaba malquerencias.

—Mientras sea para ti tiempo de vacas gordas, ahorra —le había recomendado Martínez Argüelles, el tesorero—. Después, quizá no cuentes con las mismas disponibilidades y, sin embargo, el presidente seguirá necesitando la promoción política. Tenlo muy en cuenta.

—¿Por qué ese pesimismo?

—No lo es. Le llamaría, más bien, realismo. Se nos están agotando las ofertas públicas y, por ende, tendremos menos liquidez en el futuro. No es un pronóstico, es un hecho.

—Pero habrá mecanismos alternos...

—¿Cuáles? Tenemos que ser muy escrupulosos y ordenados con la administración. Endeudarnos, como en el pasado, sólo nos llevaría a la asfixia. Vamos a depender, durante un largo lapso, de nuestra propia capacidad para generar riqueza.

—¿Insinúas que el Prone no sirve?

—No, pero creo que debe modificarse, a fin de elevar la productividad. Hasta ahora, sólo ha servido para favorecer a ciertos grupos de marginados, sin que el conjunto de necesitados haya sido canalizado hacia el trabajo.

—¿Has comentado esto con César?

—Más bien fue al revés: a él le preocupa que se invierta tanto y no se produzcan rendimientos económicos.

El secretario del Tesoro era el único que pretendía fiscalizar, desempeñando su papel a distancia, los resultados del célebre programa. Y Pancho López Arenas no lo soportaba. Tampoco toleraba la aguda crítica de la suspicaz Rosa María Velázquez, inteligente economista encargada de la Jefatura de Contralores de la Federación.

—Vamos a ver, Pancho. ¿Es o no populista el programa?

—No te vaya a oír el presidente. Por supuesto que no.

—¿Y en qué se diferencia del satanizado populismo?

—El Prone obedece a un imperativo de justicia, mientras que el populismo significa un derroche excesivo e irresponsable.

—Por supuesto, Pancho, por supuesto.

Francisco gozaba del poder reflejo, amén del que le otorgaba el manejo de cuantiosos recursos, los mayores de la administración, con base en los cuales podía también llegar a acuerdos generosos con la disidencia. Los alcaldes del derechista Partido de Acción Reivindicadora (PAR) despachaban con él frecuentemente, lo que le permitía sensibilizarlos e, incluso, disuadirlos de posturas irreconciliables. La llave del dinero detenía los impulsos de rebeldía. No había imposibles.

—Estoy en el ánimo de la gente, pero no salgo del ostracismo. Me ven y, al mismo tiempo, permanezco en la oscuridad de un aparente segundo plano. No es equitativo —se lamentaba.

—No te impacientes. Ya te llegará tu hora —solía decirle, de manera automática, su esposa Martha, norteña acostumbrada a las depresiones de su marido.

Sin embargo no llegaba, ni César le abría la puerta. No podía estar mejor, es cierto, ¿pero acaso no habría un mañana?

Sólo cuando pasaba la noche en El Vellocino, César López Arenas podía darse el lujo de seguir sin interrupciones los noticiarios de la televisión estadunidense, captados por antena parabólica. En el caso de los informativos nacionales, invariablemente se enteraba de su contenido minutos antes de que comenzaran las emisiones, durante las cuales ninguno de los lectores de noticias se salía del esquema previo. Aquella noche, un comentarista norteamericano capturó su atención:

"El presidente López Arenas es un financiero excepcional, sin duda. En pocos meses ha restablecido la solvencia de su país e, incluso, superado los graves lastres económicos que asfixiaban a su gobierno. No obstante, su talento no ha logrado dividendos similares en el renglón político. Es indiscutible que, para él, la democracia no existe en los términos en que nosotros la concebimos: un libre concurso de ideas diversas. En este sentido, el subdesarrollo no ha sido superado, lo que es arriesgado para el acuerdo multinacional pretendido por el propio López Arenas.''

—¡Caramba! Otra campañita contra nosotros —exclamó, con fastidio, el presidente—. Cada vez que me propongo ir a Washington aparecen las víboras. ¿De qué sirve, entonces, el cabildeo que ejecuta nuestra embajada? Definitivamente, esto es muy molesto.

—Pero te dará la oportunidad —intervino Pancho— de volver a atraer la atención de la prensa. Y siempre sales bien librado. ¿Para qué te mortificas?

—Cada día hay más opositores, dentro del Congreso estadunidense, al proyecto integracionista. Y, si éste no llegara a realizarse, todo se vendría abajo. El gobierno, el país, el futuro —agregó el mandatario.

—Ganarás, como de costumbre —terció don Francisco—. Pero hay que irse con mucho tiento. Ya sabes cómo se las gastan allá.

En la víspera del viaje presidencial a Estados Unidos, Francisco López Arenas acudió a charlar con el máximo dirigente de los obreros sindicalizados, Ramón Méndez. Durante su larga gestión, el líder nonagenario había logrado el reconocimiento de seis presidentes y la tolerancia de éstos a sus afanes de permanencia. Un pilar del sistema, ni más ni menos, inmortalizado en bronce: por lo menos cinco estatuas suyas, de dimensiones heroicas, engalanan los jardines de las principales ciudades de la República.

—Mi querido don Ramón, ¡qué gusto verlo tan entero, tan jovial!

—Ya ni la burla perdona: tengo una artritis crónica que me está matando. Pero aquí estoy, listo para lo que se ofrezca.

—Nada más saludarlo, con el afecto de siempre... Nos esperan jornadas difíciles, como usted sabe. El integracionismo tiene aristas indudables.

—Oiga, de eso quería hablarle. Tengo a mano unas estadísticas, de esas que tanto les gustan a ustedes, muy significativas. ¿Sabía usted que gracias a nuestras importaciones se han creado cerca de medio millón de nuevos empleos en Estados Unidos? Por cada mil millones de dólares de ventas, la industria norteamericana contrata a 20 mil empleados más. Aquí, en cambio, la desocupación, en términos reales, se apodera de seis millones de compatriotas y un número similar de trabajadores sobreviven como subempleados devengadores de salarios muy inferiores a los mínimos. ¿Qué le parece?

—Muy grave. Pero ¿a dónde quiere llegar?

—Francamente, no sé si va a beneficiarnos el acuerdo ese de liberación comercial. Los gringos están muy contentos porque van a adueñarse de la mano de obra barata que nosotros les ofrecemos. Sólo de eso disponemos.

—En realidad, no queda otro camino. Vivimos en una era de bloques y el que se aísle será arrollado. Usted lo sabe bien. Por eso es tan necesario su apoyo y el de sus agremiados. Un titubeo... y las consecuencias podrían rebasarnos, a usted y a todos.

—¿Cómo vamos a compensar a los nuestros? Me angustia que se desmoronen las conquistas sindicales en el ocaso de mi liderazgo. No sería justo.

—Eso no ocurrirá, don Ramón. Además, tiene usted mucha fibra y mucho camino por andar.

—Lo que tengo son noventa años. ¿Qué me dice de los cambios introducidos en la Ley Laboral? ¿Es cierto que se cancelarán los fondos de retiro, el reparto de utilidades y la liquidación a los cesados?

—Es necesario dinamizar las relaciones con los trabajadores. El presidente lo ha dicho: no podemos seguir financiando el ocio.

—Entonces, habría que acrecentar las inversiones, a fin de crear fuentes de trabajo. Pero nada de esto se hace.

—La crisis, como las anteriores, es pasajera. Por ahora, don Ramón, es indispensable mejorar las condiciones en favor de los dueños del capital. Después, ya veremos.

—¿Y quién nos garantiza que ese "después" llegará?

—Mi hermano César, por supuesto.

—Así lo creo. Por ello, sugerí que sería de justicia reelegirlo. ¿Qué opina él de esta propuesta?

—Le incomodó. Como gusta de la discreción, dicha proposición no le cayó muy en gracia. Se lo digo francamente.

—¿Está muy disgustado?

—Tanto como eso, no. Él lo respeta, don Ramón, y sería incapaz de sugerirle una rectificación. Sólo le pide, por mi conducto, que tenga calma. Él hablará con usted en cuanto regrese de su viaje.

—Eso quiere decir que no aré en el mar.

—Ahora, pasando a otro asunto, ¿qué le ha parecido nuestra labor en el Prone?

—Excelente, de verdad. Merecería usted un ascenso. ¡Ja, ja, ja! Pero como ya está usted arriba, ¡se aguanta!

—Todavía hay peldaños por subir.

—¡Ésa sí que es una revelación! ¿Conque quiere buscar un escaño en el Senado? Muy merecido, sí señor.

—¿Lo cree de veras?

—Desde luego. Es más, déjeme hacer nuestra la nominación.

—Todavía no es oportuno. Además, quizá mi aspiración sea otra...

—¿Otra? ¿Cuál puede ser...?

—Ya hablaremos. Le ruego, por ahora, que nada de esto trascienda. Son temas muy delicados.

Apenas salió Francisco López Arenas, el sempiterno líder prendió un habano doble. Sonrió para sus adentros, aspiró lentamente el humo y pensó: "Éste cree que no entendí su mensaje. También quiere ser presidente.

Ya veremos cómo combinamos las fichas. Por ahora tengo dos ases ganadores..."

En el trayecto a Washington, el presidente concluye la lectura de una síntesis de las noticias nacionales. Había preferido viajar a bordo de un avión comercial, el cual fue debidamente adaptado con una cabina privada, una sala de prensa —con servicio de fax y teléfono— y una confortable recámara. La comodidad del distinguido personaje tuvo un costo de 150 mil dólares. Una bicoca.

—Señor presidente, ¿me mandó llamar?

Manuel Cocom Parrado, encargado de los deslindes de tierras y el "nuevo orden" en el campo, es tan audaz como ambicioso. Docto en materia de disputas políticas, logró incorporarse al equipo vencedor, el de López Arenas, a pesar de que había sido afín a Díaz Torquemada, convirtiendo en socios suyos al padre del presidente y al colaborador más cercano de éste, Ernesto J. Ulibarri. El negocio multimillonario fue resultado de un despojo: con objeto de construir viviendas de "interés social", se expolió a 1 500 campesinos de sus predios localizados al sur de la blanca capital de Mayalán, provincia natal de Cocom.

—Siéntese, Manuel. ¿Cómo está? Lo veo desmejorado, muy ojeroso. ¿Qué tiene?

—Nada, señor. Simplemente, cuando se desempeña con dignidad una responsabilidad como la que usted me confirió, las jornadas de trabajo suelen ser de por lo menos veinte horas diarias.

—Me han dicho que no descansa usted y que, incluso, duerme en su oficina. Una devoción admirable a su trabajo.

—Gracias, señor. ¿Para qué soy útil?

—Tenemos que preparar una ofensiva inteligente. Los socios del norte quieren que liberemos, también, la propiedad rural. De otra manera, no estarían interesados en invertir. ¿Comprende usted?

—Pero, señor, durante años hemos sostenido el principio revolucionario según el cual los dueños de la tierra son quienes la trabajan. ¿No sería contraproducente dar marcha atrás?

—Es tiempo de realizar cambios profundos, Manuel. Tenemos que ceder en algunos aspectos, para poder sobrevivir financieramente. En lo personal, creo que nuestros campesinos por sí solos no podrán nunca incorporarse al desarrollo. Ante todo, debemos enseñarles a trabajar elevando los rendimientos. Y esto no es cuestión de unos años.

—Coincido con usted, señor. ¿Qué debo hacer?

—Prepárese para la transición. Ya habíamos discutido la posibilidad de poner punto final al ejido, porque el trabajo colectivo ha resultado ineficiente y se sostiene sólo por las políticas subsidiarias. Pues bien, vamos a transformarlo en serio.

—Hay sólo un pero, señor. Si anunciamos la medida ahora, y para colmo desde el extranjero, ¿podremos controlar a los inconformes?

—Ésa será su tarea. Luego del discurso en que me referiré al tema, regresará usted de inmediato. Convocará enseguida a las asociaciones y organismos campesinos para anunciarles el programa más ambicioso, de cuantos hayamos puesto en marcha, dirigido a multiplicar los ingresos de las familias rurales. Y después, con mucha inteligencia, deberá usted convencer a los críticos. Tendrá disponibilidad económica para ello.

—Ni hablar, señor. Aunque, seguramente, quedaré muy desgastado, me place servirle.

—Habrá compensaciones, Manuel. Jamás dejo en el aire a mis más eficientes colaboradores.

—Y si no las hubiere, señor, estaría haciendo historia a su lado. Gracias por esta oportunidad.

La despedida es cordialísima. Cocom aprieta la mano del presidente y éste, en correspondencia, le da una palmada en el hombro.

"Ya la hice: me tiene en mente para la 'grande'. El tono de su voz no admite dudas. Además, fue efusivo", razonó el secretario de la Propiedad Rural.

El feliz Manuel no acostumbraba dejar hilos sueltos. Cuando ya casi finalizaba su labor como gobernador de Mayalán, invitó a Rosa María Velázquez Navarrete —administradora de confianza del entonces candidato López Arenas— a realizar un crucero por la costa. La joven funcionaria, soltera, no escapó de la fina seducción: el sol, las mañanas claras, el yate de lujo y las canciones acabaron por rendirla. Todas las noches, el galán le enviaba las notas de "Peregrina".

—Gracias, Manuel, por tantas atenciones.

Meses más tarde, la señorita Velázquez quedó al frente de los auditores oficiales. Y Cocom, entonces, pasó la factura.

—Rosa María, linda, no quisiera molestarte pero...

—Sí, ya sé. Te andan bombardeando en tu tierra. No te angusties. ¡Que digan lo que quieran! Para mí eres honesto y es lo único que cuenta. Ya dimos carpetazo.

—Gracias, mujer. No podía esperar otra cosa de ti.

En Washington, el presidente López Arenas es objeto de una cordial acogida. La Casa Blanca, espléndida, constituye el marco idóneo para el desfile de banderas y regimientos, uniformados en atuendos de épocas diversas, en honor a los mandatarios. El de Estados Unidos, efusivo, mantiene a su colega expectante y emocionado.

—Amigo César —le dice—, una recepción así no la ofrecemos a cualquiera. ¡Se nos acabarían los fondos!

—¡Ja, ja, ja! Gracias, señor presidente. Me encuentro gratamente sorprendido por su generosa hospitalidad.

Durante el discurso de bienvenida, el anfitrión deja entrever sus intenciones:

—Su país, querido presidente López Arenas, tiene gran importancia para nuestro pueblo. Hermanados por tantas afinidades, nos reunimos ahora para estrechar aún más nuestro proverbial entendimiento. Estados Unidos no quiere más fronteras, sino una comprensión mutua y amplia. Por ello, en este contexto de amistad, daremos los pasos necesarios para estructurar una nueva relación que impulse el bienestar de nuestras naciones. Salud, amigo.

Y López Arenas no se queda atrás:

—Llevaré a mi pueblo el mensaje de afecto, inolvidable, que usted acaba de dirigirnos. Agradecidos, marchamos con firmeza hacia el ensanchamiento de nuestros propósitos solidarios. Es la voz de la América unida la que aquí se ha escuchado. Enhorabuena.

Las reuniones bilaterales transcurren con una afabilidad poco frecuente. Sin discusiones, la delegación invitada secunda los planteamientos de su homóloga anfitriona: acelerar los trámites para la privatización del campo; abatir los aranceles aún vigentes; introducir el petróleo dentro de las estrategias comunes y administrarlo sin dislates comerciales; ampliar las perspectivas de inversión, con base en una nueva legislación que no considere como extranjeros los capitales estadunidenses; en resumen, destruir todo vestigio autonómico. Los límites son para los débiles.

Martínez Argüelles presenta un plan quinquenal de privilegio para los inversionistas norteamericanos: exención total de impuestos durante los primeros 24 meses; después, pago de 5% sobre utilidades netas, pero una vez deducidos los gastos derivados de la incorporación de nuevos trabajadores. Los aplausos son atronadores.

—Este mecanismo —insiste el tesorero— permitirá abatir los índices de desempleo y generar verdadera riqueza. Resolveremos un imperativo nacional. Por supuesto, las políticas salariales deberán mantenerse en niveles adecuados para ampliar las perspectivas.

Por su parte, Leandro Salvatierra, secretario de Desarrollo Industrial y Mercantil, anuncia la desaparición de todas las barreras arancelarias:

—El futuro no se inicia mañana, sino hoy día. La nueva dinámica habrá de conducirnos hacia estados superiores de convivencia, donde el gobierno aliente la iniciativa de los particulares y no sea sólo fiscal que ande a la caza de desviaciones conceptuales. Superaremos los rezagos.

Y Manuel Cocom, menos favorecido en el arte de la oratoria, es parco al dar a conocer la liquidación de la tutela oficial en el agro:

—Nos place comunicar que nuestro campo va camino del desarrollo definitivo. Rompimos los tabúes y los complejos: la propiedad será de quien haga rendir la tierra, no sólo de aquel que arranque sus frutos carcomidos.

La euforia invade a los negociadores. El presidente, pulcro en lo que toca al protocolo, se retira a sus habitaciones a las diez de la noche. Los miembros de la comitiva disponen de unas horas para el relajamiento. No hay excesos, porque sus colegas estadunidenses les acompañan en todo momento. Sólo uno de los huéspedes, el presidente del PIR, Daniel Valdés de Rodas, es asediado por los comunicadores norteamericanos.

—¿Cómo puede explicar la escasa presencia de los opositores en el gobierno de su país?

—No entiendo la democracia como consecuencia de una permanente concesión a los adversarios cuando éstos son incapaces, por sus propios medios, de convencer y vencer. En mi país, las mayorías deciden.

—Pero no hay comparación entre lo que gasta su partido y el desembolso de los disidentes. ¿Cómo explica esta diferencia?

—En virtud de que los militantes sostienen a sus agrupaciones políticas, aquellas que cuentan con una convocatoria más amplia tienen mayores recursos.

—¿Justifica el régimen de partido único?

—No es el esquema nuestro. Existe verdadera competencia y nuestros rivales tienen foro y voz para expresar sus puntos de vista.

—¿Cuántos gobernadores son de extracción pirrista? ¿Y cuántos son de distinta filiación?

—Treinta son nuestros; dos pertenecen al PAR.

—¿Eso es equilibrado?

—Es lo que quiere nuestro pueblo.

—Sin embargo, existen indicios de que los comicios nunca han sido limpios. ¿Qué diría al respecto?

—Hay muchas quejas, pero pocas pruebas acerca de las supuestas desviaciones. El país está en paz y esto es síntoma inequívoco de que existe estabilidad política.

—¿Qué pasará en las futuras elecciones?

—Avanzaremos. El partido, a diferencia de los opositores, se ha modernizado. Mientras nosotros hemos elaborado otro discurso, ellos siguen nutriéndose de las quejas, las protestas y las calumnias. Ésta es la diferencia.

Al día siguiente, se publica un importante editorial en el *Washington Post*, cuyo título resume el sentir de los comentaristas: "La democracia de un color". En este artículo de fondo, se apunta la paulatina descomposición política y el clima de intransigencia que se ha experimentado en, por lo menos, cinco provincias del país hermano:

El riesgo de un estallido social, a consecuencia de las prácticas políticas monopólicas, no puede descartarse, a pesar de la indudable popularidad del presidente. Curiosamente, los entrevistados prefieren separar sus apreciaciones acerca del partido en el poder y las referidas al titular del Ejecutivo. López Arenas, quien ha aliviado ciertas tensiones, es visto como un mandatario con buenas intenciones; en cambio, en el PIR se concentran las malquerencias de los clasemedieros...

Los últimos comicios federales dejaron una secuela de inconformidades y dudas sobre la limpieza del proceso. En al menos cinco provincias, la oposición denunció las prácticas fraudulentas del PIR. Y en una de ellas, Eraithuitzio, el aspirante a gobernador por el partido oficialista prefirió retirarse ante las dimensiones alcanzadas por los brotes de rebeldía cívica. En este caso, el presidente optó por negociar. Pero ¿podrá hacerlo siempre?

López Arenas, sin terminar de arreglarse, manda llamar a Óscar Rosas y al asesor presidencial, Vicente Dols Abellán, de origen francoespañol, experto en asuntos internacionales.

—Urge que tomemos cartas en el asunto —explica con apresuramiento el mandatario—. No es la primera vez que, a través de la prensa, tratan de debilitarnos en los momentos clave. Definitivamente, el presidente Bush ya tiene listo su repertorio. ¿Vamos a quedarnos a la deriva?

—Me parece —responde Dols— que las tesis en cuestión no son nuevas. Y en lo que respecta a su figura, señor, sale bien librada del análisis. No vale la pena meternos en camisa de once varas. En mi opinión, reabrir la discusión sobre el particular nos desgastaría inútilmente.

—Bien. Que Valdés de Rodas haga una declaración explicando las ventajas de la futura legislación electoral. Debe enfatizar que nuestra dinámica política obliga a reformarla permanentemente en busca de un modelo democrático más amplio. Vamos a ver cómo lo tratan.

—¿Algún comunicado de la presidencia? —pregunta el coordinador de Informática y Relaciones Públicas.

—No por ahora, Óscar. Creo que tiene razón, Vicente. Es preferible no otorgar demasiada importancia a las críticas... por más que éstas escondan una innegable doble intención.

La agenda del día incluye una reunión privada de ambos mandatarios en la Casa Blanca. Por los antecedentes, se estima que será decisiva. El encuentro en el pórtico de la vieja casona de la avenida Pensilvania deja satisfechos a los fotógrafos: amplias sonrisas, estrechos abrazos, condescendencia a raudales.

Libres de los requerimientos de los comunicadores, los jefes de Estado comienzan a tratar el orden del día. De pronto, Bush mira fijamente a su colega:

—Sin duda, habrán de reelegirme. Están dadas las condiciones para ello y, por tanto, la continuidad de nuestro proyecto está garantizada por lo que a mí toca. ¿Qué seguridades tenemos de parte suya?

—Nuestras instituciones son maduras. La transmisión del poder no implica una modificación sustancial de las políticas. En mi caso, por ejemplo, la transformación se cimentó en la reordenación emprendida por mi antecesor.

—Pero si nos vamos más atrás, las diferencias son sorprendentes. Al populismo siguió el realismo, el cual tiene muy poco en común con aquél. ¿No puede ocurrir algo similar?

—Seremos extremadamente cuidadosos en la selección de los relevos.

—¿Es tan intocable el principio de No Reelección en su país, amigo César?

El solo interrogante representa una clara inducción. López Arenas sonríe y niega con la cabeza.

4

Ernesto J. Ulibarri, gobernante de la metrópoli, había sido un joven inconforme por naturaleza. Durante la adolescencia perdió a su padre. La familia jamás sospechó que la muerte del médico militar hubiese sido producto de un crimen. Dos semanas antes del deceso, el general Ulibarri no pudo tolerar la altanería mostrada por un ''junior'' en uno de los cruceros más conflictivos de la capital. El chamaco, de origen libanés, era el heredero de una cuantiosa fortuna y presumía de influyente. Transitaba siempre en un automóvil deportivo último modelo.

—¡Quítese viejo, que tengo prisa! —le gritó al galeno, quien lucía el atuendo del ejército.

—Tranquilo muchachito, más respeto.

—¡Muévale ya! ¡Estorbo! Llévese su carcacha para otro lado.

—Cállese, no sea majadero.

El joven de marras, Nicolás Abdala Hamdan, descendió de su vehículo, pateó el coche del militar y le abrió la portezuela.

—¡Bájese si es usted hombre!

—No sea impertinente. Vuelva a su carro y déjese de payasadas.

—¡Ay sí, pobrecito! No se vaya a resfriar. El uniforme no hace al hombre, ¿verdad?

El general no soportó más y bajó del automóvil para encarar al insolente. De inmediato, tres jovenzuelos lo rodearon. Entonces, Ulibarri sacó su pistola, una Smith & Weson calibre .38, y disparó al aire. Los agresores permanecieron en sus sitios. Pero Abdala, fuera de sí, le cayó encima. Forcejearon hasta que se escuchó otra detonación.

El doctor Ulibarri fue exonerado del asesinato del joven Nicolás, puesto que alegó y probó que había actuado en legítima defensa. Sin embargo, la familia Abdala tuvo una opinión distinta y el jefe del clan decidió vengarse. Pocas semanas después del incidente, en un café del centro de la ciudad, Ulibarri sufrió un infarto fulminante y fue trasladado con gran urgencia a la clínica de la Seguridad Social, adonde llegó muerto. No hubo más averiguaciones, porque los deudos solicitaron la dispensa de la autopsia.

La verdad es que el general Ulibarri había sido seguido durante varios días, con objeto de establecer sus rutinas cotidianas, por los esbirros de Abdala, uno de los cuales contaminó la bebida de la víctima. Ernesto nunca lo supo, aunque no pudo explicarse por qué, de pronto, los Abdala decidieron sufragar sus gastos universitarios.

—Toma esto, muchacho, vas a necesitarlo.

El cheque entregado amparaba una cantidad considerable, suficiente para costear el posgrado fuera del país.

—Tenía una deuda con tu padre. Y es el momento de cumplirla.

En el extranjero, Ernesto Ulibarri desarrolló una aguda percepción sobre los ''nudos'' que asfixian al sistema político. Pronosticó, en el trabajo presentado como tesis doctoral, el deterioro del presidencialismo y el final del corporativismo. Luego, en plena actividad pública, corrigió aquellos conceptos juveniles que le habían permitido acercarse al grupo de condiscípulos de César López Arenas.

Ahora, el destacado político enfrenta otra coyuntura, manteniéndose en el umbral de la presidencia, sitio al que le proyecta la opinión pública gracias al impecable manejo publicitario de su imagen. A diferencia de los sexenios anteriores, en esta ocasión el considerado "delfín" —o príncipe heredero— no parece enfrentar obstáculo alguno que le impida alcanzar su objetivo... dentro de su propio partido.

—No creo en la recuperación del PIR, a pesar de que los últimos comicios hayan sido tan favorables.

—¿Por qué? —le preguntó el más aventajado de sus alumnos, Evaristo Marcor—. Constituye un triunfo para usted, en lo que toca al Territorio Federal. El presidente debe estar muy contento: no se perdió un solo distrito electoral.

—Sin embargo, si tenemos en cuenta las cifras y somos realistas, podemos establecer que sólo uno de cada cuatro capitalinos en edad de votar favoreció al PIR, mientras que dos se abstuvieron y uno más prefirió a la disidencia en cualquiera de sus acepciones.

—Pero el control es nuestro y esto tiene importancia.

—Y mucha. Nos permite, eso sí, eludir los chantajes y volver a poner las condiciones. No como había estado ocurriendo: casi debíamos implorar a los radicales que continuaran nutriendo el pluralismo. Un absurdo.

Desde hacía varios meses y "sólo para prevenir", el alto funcionario mantenía acuerdos secretos con las dirigencias de la Izquierda Unida (IU) y del PAR. Ideológicamente, no podía evitar el compartir ciertas afinidades con estas agrupaciones. Emiliano Guadalupe Bautista, guía moral de los progresistas y el más reacio a negociar con el gobierno por él llamado "usurpador", solía recibir en su casa, aquella que había sido habitada por el legendario general y ex presidente Indalecio Bautista, al jefe del enorme conglomerado urbano.

—El cambio es irreversible, Ernesto. Deben entenderlo. El limitarnos, o incluso el despojarnos como han venido haciendo, les va a salir muy caro. No es posible navegar a contracorriente de manera indefinida. Acéptenlo.

—En lo que no coincido es en sus métodos. ¿Qué ganan invadiendo alcaldías y paralizando las áreas productivas? Tú sabes que quienes más se perjudican son los propios trabajadores a los que dicen defender. Son procedimientos ilógicos.

—Al principio fuimos prudentes. Por ejemplo, luego de la elección presidencial, miles de nuestros simpatizantes estaban prestos a tomar el Palacio. Quizá el enfrentamiento hubiese sido brutal... pero habríamos doblegado a López Arenas. Sin embargo, contra la lógica de la fuerza, optamos por esperar y avanzar gradualmente. ¿Ésta no fue una actitud madura? Yo no sé si la historia lo juzgue así.

—Ciertamente, actuaste con inteligencia en ese momento. Hay quienes te calificaron como un "héroe civil" por haber evitado la violencia.

—Y aún así me llaman ustedes provocador, agitador y no sé cuántas cosas más.

—Lo que sucede es que tu radicalismo actual no te llevará a ninguna parte. Pretender todo o nada es caer en una confusión conceptual muy seria... además de que limita tus verdaderos alcances.

La buena voluntad de Ulibarri no es ni desinteresada ni gratuita. Samuel Arizmendi, su colaborador, se encargó de llevar a cabo el arreglo sucio, en el periodo previo a su nombramiento de candidato a senador del Territorio Federal. Pero a él se debía, en buena medida, el entendimiento pecuniario. Y de las arcas de la capital salían los recursos necesarios para la supervivencia de la IU.

—Estamos matando dos pájaros de una pedrada —dijo Arizmendi a su jefe—. Por una parte, servimos al presidente estableciendo el enlace y, por la otra, nos hacemos de otra opción por negociar con motivo de la nominación más esperada.

—Los malos pensamientos, querido amigo, son muy peligrosos. Mejor guárdatelos, porque las paredes oyen.

—Pero es cierto. En un momento dado, si el PIR necesitara una alianza electoral... podríamos lograrla con fundamento, por supuesto, en un liderazgo definido.

—No quiero oír más —y la guiñada de Ulibarri dio por terminada la charla.

El derechista Partido de Acción Reivindicadora (PAR) es objeto de un trato distinto y más directo. Ciertas veleidades filosóficas permiten a sus representantes el acceso a Los Laureles, posibilidad inexistente para los izquierdistas, quienes no reconocen la autoridad del presidente.

—Bien, según Napoleón —repetía López Arenas—: "a los corruptos, dinero; a los idealistas, posiciones; a los radicales, balas".

Con base en esta concepción es posible interpretar las intenciones de los miembros del PAR, acostumbrados a los flujos políticos, al "estira y afloja". Así, mediante concesiones, conquistaron dos gubernaturas en el norte del país; al mismo tiempo, el reconocimiento oficial otorgado a ambas jefaturas elevó los bonos democráticos del primer mandatario. Y todos felices, excepto quienes sólo sirvieron para cocinar el banquete y no pudieron sentarse a la mesa.

—Si logramos introducir nuevos mecanismos para el reparto de curules, podremos avanzar sin negociar —propuso Valdés de Rodas, jerarca del PIR, a los legisladores de su partido.

—Debemos ser muy cautos —sugirió el diputado Miguel Sierra—. No podemos hacer reformas unilaterales porque nos harían falta votos. Y la oposición está muy susceptible.

—Eso déjelo de nuestra cuenta. A ustedes, jurisconsultos, les pido mejorar el texto de la ley para establecer condiciones más adecuadas. Por ejemplo, tratar de que con la obtención de 35% de las posiciones en juego podamos aspirar a tener la mitad más uno de los congresistas.

—Matemáticamente no cuadra.

—Pero políticamente sí. De ustedes depende. La tesis es muy sencilla: el partido ganador del mayor número de distritos (a saber, 35% de ellos) debe tener la opción de controlar la Cámara a través de una mayoría absoluta porque, de otra manera, sería imposible legislar.

Cuando la iniciativa de reforma estuvo lista, el PAR se sumó sorpresivamente, a ella, ante la irritación de la fracción izquierdista, la cual concluyó que se trataba de "una versión moderna de la santa alianza".

—¿No están cometiendo un suicidio? —preguntaron los periodistas a José M. Barrientos, líder del PAR.

—Por el contrario, el estancamiento o la inmovilidad sí nos aniquilaría. Fíjense ustedes: el PIR ya habla de una mayoría de 35%. Seguramente es lo máximo que estiman obtener en las urnas. El resto es nuestro, ¿no?

Por supuesto, los reporteros difundieron la divertida declaración, totalmente ajena a la realidad. El "golpe" ya había sido asimilado.

Vicente Dols Abellán recibe un trato preferencial. Ciudadano naturalizado, ascendió al primer plano del gobierno como resultado de sus magníficas dotes analíticas. No tiene rival en el terreno de los pronósticos oportunos y acertados, avalados por gráficas espléndidamente logradas. El presidente lo considera imprescindible. Y él sabe demostrar su valía en el momento apropiado.

—Doctor López Arenas —señala Dols, quien es el único en llamar de esta forma al titular del Ejecutivo—, queremos modernizarlo todo, incluso los factores desventajosos frente a la disidencia, sin permitirnos ningún respiro. Por ejemplo, en la Unión Americana los mecanismos de inducción política están muy avanzados y nosotros ni siquiera los consideramos.

—Comprendo. En cuestión de propaganda marchamos a la zaga, con un discurso repetitivo y cansado. Ya no sirve hablar del "cambio". Todos cantan la misma estrofa. Definitivamente, debemos er contrar caminos más directos hacia el convencimiento.

—Tal es el caso de la publicidad subliminal, cuyo uso es ordinario. Ciertas compañías transnacionales, como algunas refresqueras, la utilizan frecuentemente. Recuerdo una película, donde se incluye una escena ubicada en el desierto. Junto a la imagen del sol, en plenitud, aparece un mensaje que sólo capta el subconsciente: "Tengo sed". En cuestión de minutos, la sala queda vacía porque el público, desesperado, sale a comprar la bebida de moda.

—¿Es reciente el experimento, Vicente? ¿Y ocurrió en nuestro país?

—Así es, doctor. Aceptemos que la mayoría de nuestros compatriotas presentan síntomas de desnutrición y, sobre todo, que no consumieron las vitaminas indispensables para el desarrollo intelectual durante los primeros años de vida. Por tal motivo, los daños son irreversibles.

—¿Qué insinúa?

—Que un importante sector de la población padece de cierta debilidad mental, la cual la hace más propensa a ser capturada por los mensajes subliminales. Quienes ejercitan sus facultades pueden, a través del raciocinio, superar el impacto inicial; los demás, no. Por ello, nuestros propósitos son factibles.

Con el aval presidencial, Dols Abellán continuó trabajando en ese proyecto. Y preparó una campaña para examinar la reacción general. No había transcurrido aún una quincena, cuando se reunió con López Arenas para volver a tratar este asunto.

—El objetivo final, doctor, será la sucesión presidencial. Pero antes, durante los comicios intermedios, podríamos establecer la eficacia del método.

—De ser posible hagamos, en fecha próxima, una prueba.

—A eso iba, doctor. Dentro de unas semanas se podrá observar, tanto en la capital como en una franja amplia del territorio nacional, un eclipse total de sol. Este fenómeno astronómico ocurrirá exactamente cuatro semanas y media antes de la jornada electoral. Creemos que la oportunidad es única.

Con la ruta despejada y lleno de entusiasmo, Dols Abellán estableció contacto con los dueños de la cadena privada de televisión, quienes ya preparaban varias transmisiones especiales con motivo de la excepcional ocultación solar.

—Don Joaquín —Villamagna, accionista principal de Telecomunicación, S.A.—, necesitamos su ayuda. Se trata de un asunto de enorme trascendencia para el país y el señor presidente.

—Ya saben ustedes que pueden contar conmigo. Se los he demostrado, ¿no?

—No hay duda de ello. ¿Será posible contratar un espacio durante la transmisión de los "especiales" sobre el eclipse?

—Están vendidos todos, Vicente. Pero, por supuesto, algo podremos hacer.

—No queremos comprar un tiempo comercial, más bien nos interesa aprovechar la emisión, es decir, llegar subliminalmente a un auditorio cautivo.

—No hay antecedentes de ello, pero resulta interesante la idea, siempre y cuando nosotros podamos hacer lo propio, sin restricciones, más adelante.

—Eso ya será cuestión de ustedes. Pero hay algo más: para atraer a los televidentes podemos valernos de las recomendaciones del Ministerio de Sanidad Nacional, dirigidas a evitar que el fenómeno sea observado directamente.

—Teníamos pensado hacer algo al respecto, aunque dudábamos. No podíamos adivinar cuál sería la reacción del gobierno. Pero, ahora, el asunto se simplifica. Llevaremos a cabo una intensa promoción, explicando al público que corre el riesgo de perder la vista si observa directamente el eclipse. Diremos que la televisión es el único medio seguro para presenciar el suceso astronómico. ¿Le parece?

—De acuerdo. Trataré de que las autoridades de Sanidad actúen en consecuencia. "Más vale prevenir...", dice el refrán. Eso haremos para contar con la mayor audiencia posible y medir así el efecto ejercido por nuestra propaganda.

Durante el eclipse solar, las calles permanecieron semivacías. Reinaba un verdadero temor a la ceguera: las artistas de moda habían insistido, hasta la saciedad, en que sólo la observación del fenómeno a través de la pantalla chica podía librar a los curiosos de los daños irreversibles a su vista. Y se alcanzaron verdaderos récords de teleauditorio.

A partir de entonces, la propaganda política se intensificó mediante los medios de comunicación masiva. Y Dols Abellán continuó introduciendo sus "cortes especiales". De manera paulatina, comenzó a disminuir la tensión política y las encuestas de opinión reflejaron un avance considerable, sorpresivo para algunos, del partido oficial. Los resultados del experimento se evidenciaron durante las elecciones programadas a mitad del sexenio: el PIR arrolló materialmente aun en plazas tradicionales de la oposición.

—Fue extraordinario, doctor López Arenas. Los representantes del PAR y la IU no podían dar crédito a lo que veían: los sufragios en favor nuestro los superaron por amplio margen, a pesar de sus apuestas.

—De todas maneras, alegarán que hubo fraude.

—Cierto, en centenares de casillas sus representantes firmaron y aceptaron los escrutinios. Según me informan, aunque no podían entender los resultados, se resignaban ante la evidencia.

—Pasamos de 28 a 48 puntos en el Territorio Federal, casi el doble.

—Nuestros laboratorios realizaron la proeza. Ya sabemos a qué atenernos en el futuro. Trabajaremos, eso sí, más intensamente y con mayor orden. Las posibilidades son amplísimas, sobre todo porque no tenemos adversarios en este terreno.

—¿Y qué mensaje captó el subconsciente de los electores?

—Uno muy sencillo: "López Arenas cumple, López Arenas es del PIR. Vota por quienes cumplen, vota por el PIR". Por supuesto, cada frase apareció debidamente espaciada. Un mensaje demoledor.

—¿Y eso fue todo? —interrogó el presidente para "medir" a su colaborador.

—Bueno, como usted sabe, usamos también los métodos tradicionales. El "padrón" previo, bien manejado por el Programa Nacional de Equidad, resultó muy exitoso. La ruta está trazada.

La antipatía natural entre el capitán Fulgencio Ramírez Casas, ministro del Interior, y Ernesto Ulibarri, gobernador de la capital, constituye la más seria amenaza a la estabilidad del gabinete. La lucha sorda entre ambos llegó a niveles de intolerancia durante la contienda proselitista. Cada quien reclamaba la victoria aunque, a decir verdad, el primero no pudo contener todos los desbordamientos de la oposición. Ulibarri, en cambio, triunfó plenamente: su ciudad fue reconquistada por López Arenas.

—¿A dónde pensará llegar Ernesto? —interroga Ramírez Casas a Fabián Ocaña, subsecretario del ramo.

—Hasta donde se lo permita el señor presidente. Es muy hábil, pero conoce las reglas del juego.

—Me angustia algo: ¿debo informarle al primer mandatario sobre los nexos de Ulibarri con los izquierdistas?

Temo que haya actuado así por instrucciones superiores y no tanto para obtener un provecho personal de esa relación. En este caso, correría el peligro de ponerme en evidencia. Y sería terrible.

—Usted, don Fulgencio, siempre ha sabido cumplir con su deber. Y no tengo duda de que así seguirá haciéndolo.

—Debemos ponderar que, no obstante la confianza que ha depositado en mí el señor presidente, no soy su contemporáneo ni lo conocí en las aulas. Me respeta, eso sí, por mi limpia trayectoria. Pero, de vez en cuando, percibo que los asuntos delicados se filtran y van a parar al reducto de Ulibarri. Y éste, sin discreción, se refiere cada vez con mayor frecuencia a temas que no son de su incumbencia.

—Amerita una consulta, don Fulgencio. El presidente lo entenderá y la sensibilidad de usted evitará un desaguisado.

—Ulibarri no es un novato, Fabián. Resulta inverosímil que actúe por cuenta propia. Ésta es la cuestión.

—¿Por qué no dirigimos la batería contra el incondicional de Ulibarri, el flamante senador Arizmendi? En todo caso, fue él quien se encargó de las operaciones. Es responsable de tantos desvíos de fondos, y tan frecuentes, que no resistiría una auditoría. Después, sería fácil poner fuera de combate a la cabeza. De eso se trata, me parece.

—El riesgo es muy alto. Pero mi situación comienza a ser demasiado endeble. Según me han dicho, los reporteros de la "fuente" investigan desde hace días el rumor sobre mi renuncia. ¿Y de dónde puede partir el infundio? Ulibarri le apuesta a todo.

—Tenemos una ventaja: se ha puesto en el aparador. Cualquier desliz suyo puede aprovecharse para desgastarlo. Y como no parece tener límite su impaciencia...

—Es una estrategia a mediano plazo, Fabián. Mientras, nuestro vecino sigue negociando y avanzando. Nada parece detenerlo.

En la antigua casona que sirve de sede al gobierno citadino, situada en la esquina contraria a aquélla donde se localiza el Ministerio del Interior, Ernesto Ulibarri mide también sus posibilidades.

—Ramírez Casas ya cumplió su ciclo. Ahora, francamente, nos estorba. Le ha resultado muy difícil adaptarse a los nuevos vientos, él que tanto tiempo esperó sentarse en la silla principal de la secretaría hoy día a su cargo. Sin embargo, desde ahí, puede manejar la información política en sentido inverso a nuestros intereses.

—Lo cual no puede evitarse, por ahora. Cualquier presión de nuestra parte —explica el inquieto Evaristo Marcor—, sería contraproducente. El presidente la interpretaría como un golpe bajo.

—El manejo electoral lo rebasó. No sabía cómo conciliar las estadísticas con las exigencias del PIR. Casi llegamos al caos, pero por exceso de votos. Y Ramírez Casas parecía desbordado.

—¿No hay forma de concertar con él, don Ernesto?

—Imposible. Él sostiene, según un punto de vista "institucional", que no debe cederse terreno alguno. La realidad, no obstante, nos obliga a ello. Requerimos de un pluralismo serio... y controlable. Y él ha procurado controlar pero sin conceder. Es decir, todo lo contrario.

—Me parece que Ramírez Casas piensa en el pasado, no en el futuro.

—La verdad reside en que la competencia real es lo que da valor a la negociación política, nuestra mejor arma para afianzarnos. Si volvemos al imperio del monopartido, todo el trabajo realizado con los disidentes se desmoronaría. Así como las expectativas democráticas con base en las cuales el señor presidente pretende mejorar la imagen del país, y la del sistema, en el exterior. Éste es el meollo del asunto. ¿Está claro?

—Pero, ¿quién tiene la culpa de las disonancias? ¿Ramírez Casas, Dols Abellán o Valdés de Rodas? Es un hecho que las decisiones políticas han sido desviadas, una y otra vez, de su curso original. Por ejemplo, la apertura permitió que los radicales se nos subieran a las barbas en el Congreso, y ni qué decir del costo de las alianzas subterráneas.

—De torpeza en torpeza, los "avances" han ido esfumándose. Aunque, pensándolo bien, una excesiva popularidad del presidente... por favor, que esto quede entre nosotros... podría entorpecer en el futuro nuestro propio proyecto. El desgaste, de alguna manera, devuelve cierto interés a la confrontación política y nos faculta para intervenir en los "acuerdos". ¿Comprendes?

Meses atrás, las burdas maniobras realizadas para aumentar la votación en favor de Carlos Daguerre, aspirante al gobierno de Eraithuitzio, provincia ubicada en el centro del país, encendieron los ánimos de la población, al grado de que durante varios días las multitudes permanecieron en las plazas públicas exigiendo la anulación de los comicios. El PAR presentó evidencias del fraude y reclamó la victoria para su candidato, Jesús Zorrilla, petición que contó con el apoyo de la IU.

Daguerre, antiguo gobernador del Territorio Federal e íntimo amigo del ex presidente De la Tijera, prefirió retirarse, luego de ser declarado "vencedor", argumentando que lo más importante era preservar la paz pública y los cauces legales. Esta situación anómala encolerizó a sus simpatizantes, quienes exigieron —"a nuestro jefe nato, el presidente López Arenas"— una explicación convincente.

—No se vale resolver una coyuntura ignorando a los que trabajamos diligentemente para lograr el triunfo —exclamó Salvador Guerrero, presunto diputado pirrista.

La rebeldía contra la "decisión centralista" no paró ahí: centenares de frustrados, militantes del PIR, increparon al primer mandatario y bloquearon los accesos a

Los Laureles. Las leyendas impresas en las mantas que portaban eran directas, contundentes: "López Arenas: ¡Póngase su camiseta y no aliente a traidores!"

El presidente, mortificado por las críticas a su gobierno surgidas al calor del fraude, sobre todo las publicadas en la prensa norteamericana, había exigido a Daguerre su "renuncia".

—Carlos: no es posible que sigas. La verdad es que se te pasó la mano.

—Nada de eso: las arbitrariedades no fueron mías, sino de las huestes de Valdés de Rodas. Tenía pánico por no alcanzar los porcentajes sugeridos para la "recuperación".

—No tiene caso ahondar en ello, Carlos. El hecho es que los excesos nos pusieron al descubierto.

—Pero el que va a cargar con el muerto soy yo... ¡y no es justo!

—Tales son los costos de la política. Lo siento.

—Una cosa les advierto: no respondo por lo que pase después. Los ánimos están muy caldeados. Allá ustedes.

Cuando se difundió la noticia de la dimisión, los simpatizantes de Daguerre saquearon el Congreso estatal y se plantaron a las puertas del Palacio de Gobierno. Decenas de indignados pirristas quemaron sus credenciales de afiliación. Lo peor ocurrió cuando la propia legislatura resolvió que un miembro del PAR, Lorenzo Centurión Valencia, ocupara provisionalmente la gubernatura, mientras se publicaba la convocatoria para la realización de nuevas elecciones.

Las calles de todas las ciudades de Eraithuitzio volviéronse campos de batalla. Durante los enfrentamientos, hubo decenas de heridos, entre ellos varios periodistas. Los comercios debieron paralizar sus actividades y la zozobra creció. Los legisladores —18 pirristas y sólo seis de la oposición— decidieron entonces actuar por iniciativa propia y reformaron la Constitución local, con objeto de que únicamente los nacidos en la entidad —Zorrilla no reunía este requisito— pudieran aspirar a gobernarla. El escándalo se acrecentó.

—¿Qué les pasa a esos diputados? —preguntó furioso el presidente al todavía gobernador Rosendo Bernal, célebre por sus costumbres extraviadas.

—Defienden su partido, na'más. No están conformes...

—¿Y quién les ha preguntado su parecer? Las decisiones por mí tomadas así convienen al país y punto. Pero definitivamente usted está detrás de todo esto. Usted y su temor a enfrentar la auditoría de su administración.

—Le juro, señor presidente, que yo no...

—No interrumpa. Más vale que detenga usted a su gente. Vete la susodicha reforma y dedíquese a preparar su salida.

El día en que tuvo lugar la transmisión del poder en Eraithuitzio, el presidente convocó a la unidad. Y puntualizó:

"Bienvenida sea la oposición responsable, como la representada por su nuevo gobernador, Lorenzo Centurión. Cerremos las puertas, en cambio, a los arribistas que sólo pretenden desestabilizar el país. La libre competencia política nos hará mejores."

Al término de la ceremonia, el ex gobernante Bernal fue detenido, decisión bien acogida por la generalidad. Y López Arenas, enfático, dejó caer la sentencia:

"Quien se aparte de la ley deberá resignarse a soportar todo el rigor de la misma. No hay impunidades ni privilegios para nadie. Vivimos en una nueva cultura política."

El experimento modificó, sin embargo, ciertos criterios acerca de la autonomía de las provincias y nubló las perspectivas de apertura y democracia. Además, aceleró a los impacientes en la búsqueda de colocaciones futuras. Y en el seno del partido fueron agrias las consecuencias.

—López Arenas salió bien del trance, ¿y nosotros? —preguntó Berta Fernández, dirigente del sector profesional, uno de los pilares de la agrupación política—. Tal parece que una cosa es el presidente y otra muy distinta el partido. ¿Cómo es posible?

—Pagamos el precio de la lealtad —respondió Daniel Valdés de Rodas, el jerarca máximo del PIR—. Pero debemos estar tranquilos: los incidentes fueron aislados y no se han traducido, hasta el momento, en un malestar nacional. Bastó con extirpar el tumor y ya ven ustedes: López Arenas es más popular en Eraithuitzio que en ninguna otra parte.

—¿Y qué piensan allá de nuestro partido? Sencillamente nos han desmadejado —ironizó Ramón Méndez, líder de los obreros.

—La verdad es que los acontecimientos nos rebasaron... —comenzó a contestar Valdés de Rodas, quien fue interrumpido ásperamente por Méndez.

—No divague, Daniel. Háblenos sobre el sondeo de opinión que mandó usted realizar. ¿Cómo nos fue?

—Mal. De cada 100 entrevistados, sólo ocho manifestaron estar a favor nuestro.

—¿Y respecto al presidente?

—Alrededor de 75% consideraron que su intervención había sido positiva.

—¿Acaso no lee usted entre líneas, Daniel?

James Baker, secretario de Estado norteamericano, quiso puntualizar, ante el presidente López Arenas, cuáles eran los temores que albergaba la Casa Blanca sobre la evolución política de sus aliados continentales.

En Cuba, Fidel Castro sostiene la tesis de que la democracia sólo serviría para alentar la penetración ''yanqui'', como él la llama. Insiste, además, en que no debe cambiar aquello que ya fue modificado luego del triunfo de los ''barbudos''. Afirma que él encarna el cambio.

—Un refugio semántico, a todas luces desproporcionado.

—Así es. Y en tal contexto, amigo César, ¿qué representa el PIR en su país?

El presidente quedó, por unos segundos, anonadado. El interrogante equivalía a una severa crítica, la cual no se adecuaba a la habitual cortesía diplomática. Y respondió con firmeza:

—Del partido depende la estabilidad nacional. Si perdiéramos el control, arribarían al poder los aventureros. Definitivamente, esto no sería conveniente para nosotros, ni tampoco para Estados Unidos.

—Ha mencionado usted algo trascendente: el control. ¿Es indispensable el partido para conservarlo? Según entendemos, en la Alta Calafia, provincia en que el PIR reconoció la victoria de la oposición, es donde mejor se le recibe y aprecia. Bastó su decisión política para devolver a los altacalafianos la confianza en el país y la seguridad en sí mismos. Entonces, ¿en qué quedamos?

—Fue una excepción afortunada que de ninguna manera justificaría un desmoronamiento del partido en toda la República. De darse esta circunstancia, retrocederíamos al viejo esquema del caudillismo, con su buena carga de violencia. Y tiraríamos por la borda ocho décadas de historia.

—Perdóneme por no compartir sus puntos de vista. No es necesario recurrir a vocablos tales como "revolucionario", por un lado, y "reaccionario", por el otro. Sin prejuicios, podremos comunicarnos mejor. ¿Sabe usted en dónde radica la solidez política de Estados Unidos?

—Desde luego. Ante todo, en su poderío económico.

—Claro, pero también es muy importante el hecho de que la preservación de los valores fundamentales de la nación no sea responsabilidad exclusiva de un solo partido. Así, la alternancia de diversas opciones en el poder no significa poner en peligro el fundamento mismo de la unión. Si los demócratas suceden a los republicanos, ello no implica una ruptura histórica ni una transformación abrupta de las estructuras sociopolíticas. Es, nada más, un cambio circunstancial que imprime frescura a la administración pública y dinamismo a los procesos de selección interna.

—Bueno, en mi país las cosas son distintas: la oposición está anquilosada por falta de nutrientes ideológicos. Su discurso es quejumbroso, negativo, vociferante.

—Ése es el reto: establecer las bases para la convivencia armónica de fuerzas diversas entre sí, pero todas ellas afines a la convicción de mantener el estado de cosas, el *establishment*. Lo que debe impedirse es el acceso de los extremistas y de quienes sostienen postulados históricamente vencidos... como el comunismo.

—Ésos no pasarán. Ni siquiera me conceden legitimidad, debido a su intransigencia. Imagínese lo que sucedería si llegaran al poder: provocarían una cadena de estallidos que sólo terminarían en la parálisis total, en la inviabilidad de la nación.

—La tesis del bipartidismo norteamericano se apoya en el mismo enfoque: apertura entre los iguales: rechazo a quienes pretenden navegar a contracorriente. Usted tiene un panorama semejante, pero no está definido hasta dónde permitiría llegar al pluralismo. ¿Vale la pena tener tantas opciones, incluso extremistas? Es preferible, creo, establecer una competencia cauta, ponderada y, sobre todo, limpia. ¡Cuánto bien les haría!

Aquella conversación caló profundamente en el ánimo del presidente López Arenas, educado en las universidades estadunidenses y convencido, por tanto, de las bondades del modelo anglosajón.

—Debemos, don Fulgencio, posibilitar la paulatina integración del PAR al gobierno. Ellos le llaman "gradualismo histórico"; nosotros, simplemente, asimilación.

El ministro del Interior, versado en la vieja tradición política, no alcanzaba a comprender los alcances de la medida.

—Ceder demasiado terreno, señor, puede ponernos en un brete. Ya vio usted cómo le fue a su antecesor, cuando decidió abrir la Cámara de Diputados a los opositores. Con una precaria mayoría, no era posible preservar el orden ni legislar. Fue penoso observar cómo retornábamos a la era de los sombrerazos.

—No vamos a ceder, don Fulgencio. Definitivamente, no se trata de darle espacios a los enemigos del sistema, sino de provocar que la verdadera competencia política se efectúe entre las opciones responsables. Por ejemplo, hay empresarios inquietos y muy inteligentes. De acuerdo con nuestro modelo, son triunfadores y no pueden encaminarse hacia su propia autodestrucción. De éstos podemos aprovecharnos.

—Pero quieren arrebatarnos el poder, sólo para dar cauce a sus ambiciones sin límites. No buscan el bien colectivo, sino el liberalismo económico que desplace al Estado. ¿Es positivo esto?

—Hay de todo. No olvide usted el valioso concurso de los intelectuales, quienes alientan la bifurcación política...

—La mayoría son rojillos, señor, y promueven a la Izquierda Unida. Consideran que ésta es la única corriente liberal y progresista confiable. Lo malo es que, con sus conocimientos, van creando una estructura partidista competitiva. El riesgo es, pues, muy serio.

—Por eso es tan urgente establecer una nueva cultura política donde confluya la oposición inteligente, aquélla con la que podamos entendernos. Que quede bien claro, don Fulgencio: una cosa es la apertura y otra perder el control. De esto último, nada. ¿Eh?

Los desbordamientos políticos llegaron a Real del Potosí. Ahí, un líder histórico, el sexagenario doctor Cristóbal

Mena, logró unificar a la oposición, presentó un "frente" bien estructurado y llegó a las elecciones con un arrastre excepcional. Sin embargo, según la Comisión Revisora del Voto Libre, los escrutinios favorecieron a Arcadio Villa, un antiguo militante pirrista muy afín al ex presidente Jerónimo Lamberto, con quien había colaborado en el terreno de las relaciones públicas.

Mena, motivado por el fervor popular, reclamó el triunfo y decidió marchar hacia la capital. "La Caravana de la Luz" reunió a cerca de dos mil simpatizantes y captó la atención de los corresponsales extranjeros.

—¿A dónde piensa usted llegar, doctor? —preguntó un periodista estadunidense.

—Hasta las puertas de Palacio, si es necesario. No permitiremos una imposición y se lo manifestaremos al presidente. Tengo documentos de sobra para legitimar mi victoria y no voy a defraudar a mis coterráneos.

La larga caminata, que avanzaba veinte kilómetros por día, fue nutriéndose en las distintas poblaciones por las cuales pasaba con muestras emocionantes de adhesión. Y en la mayor parte de las provincias surgió un clamor de apoyo a los marchistas. En Estados Unidos, la prensa presentó los hechos con generosa amplitud:

> López Arenas debería rectificar. La postura de su partido, a la vista de las numerosas actas de casilla en poder de los frentistas, es francamente irrisoria. ¿Acaso la prepotencia puede coadyuvar a mejorar la imagen internacional de una democracia cada día más cuestionable? La Casa Blanca no puede ser ajena a este fenómeno, que tiene lugar en un periodo en el cual se pretende convertir a aquella nación en un importante socio comercial de nuestro país.

El intenso frío nocturno tomó casi por asalto al doctor Mena, cuya salud sufrió gran perjuicio. El dirigente enfermó gravemente, pero no quiso abandonar la modesta casa de campaña donde pernoctaba a la orilla de la carretera. Y falleció diez días más tarde, pese a la atención especial ordenada por el presidente López Arenas, quien envió una ambulancia aérea y los mejores médicos militares disponibles.

La reacción en Real de Potosí fue furibunda: hubo plantones, saqueos, tomas de oficinas públicas, incendios de autobuses y bloqueos de las vías principales. El caos llegó a ser total: un grueso cordón humano rodeó el Palacio de Gobierno para impedir que el impostor, Arcadio Villa, entrara en su despacho. Y cuando intentó hacerlo, decenas de mujeres enfurecidas lo apedrearon, la fuerza pública intervino y resultaron lesionados muchos manifestantes.

—Arcadio —comunicó Fulgencio Ramírez Casas—, su postura es insostenible. Pida licencia y nosotros le cubriremos las espaldas.

—Pero, señor ministro. Yo gané bien, lo juro. ¿Por qué vamos a ceder ante un puñado de fanáticos?

—No perdamos el tiempo, Arcadio. La decisión está tomada.

Villa renunció, y su cargo fue ocupado provisionalmente por Guillermo Lanzarote Santos, quien había desempeñado con pulcritud la función senatorial, gracias a su innegable cultura. Hombre respetado, de impresionante currículum académico y político, Lanzarote pudo conciliar en poco tiempo a los grupos en pugna. Seis meses después, cuando los opositores comenzaron a exigir la celebración de nuevas elecciones, el PIR anunció su pretensión de utilizar al interino como candidato. Y, otra vez, sobrevino el escándalo.

—Se trata de reelegirlo, contra todo derecho. Él debe ocupar la gobernatura de manera provisional y hasta que culmine el proceso extraordinario. De otra manera, se vulneraría el espíritu de la ley, porque quien ostenta ahora el mando de la fuerza pública competiría con ventaja respecto de los demás candidatos —opinó un miembro de la disidencia frentista.

Los líderes de la oposición, Bautista y Barrientos, convocaron a un debate sobre el tema y sensibilizaron a la opinión pública sobre la posibilidad de que el "experimento" tuviera dedicatoria, es decir, de que "constituyera un ensayo para preparar la reelección del presidente López Arenas".

En Los Laureles, la residencia oficial, el presidente y su asesor, Vicente Dols Abellán, no ocultaban su contrariedad.

—Han llegado muy lejos las críticas, Vicente. Y es momento de poner un hasta aquí.

—Valdría la pena, si usted así lo considera, dar un mentís a los desequilibrados. Pero, entonces, podríamos anular nuestro juego...

—¿La reelección? En fin, llame a Lanzarote y dígale que se retire. No quiero más sorpresas.

—Todavía, doctor, podemos salvar algo...

—Vicente: no siga. Nos exhibieron, ¿verdad? Entonces, asimilemos el golpe y pensemos en otra estrategia. Por ahora...

Otro caso acalorado: en Mayalán, provincia localizada en el sureste del país, los yerros gubernamentales dieron impulso a la disidencia, bien proyectada a través de los medios de información independientes con gran trayectoria local. El PIR, prácticamente arrinconado y en medio de una severa crisis, decidió reconquistar los espacios perdidos a la vista de una derrota inminente.

—Por recursos no se detengan —ordenó Valdés de Rodas—. Preparen a fondo cuadros y seccionales. Sumen, sumen, sumen. Que nadie permanezca ajeno. Recorran las localidades, casa por casa, y pasen a la acción directa: recojan las demandas y nosotros las canalizaremos para que sean atendidas de inmediato.

Los dirigentes provinciales comprendieron: por ningún motivo se comprometería el futuro del partido de una región tan propensa a la autonomía y, por ende, especialmente delicada en materia de manejo político.

—Si perdemos —advirtió José Guadiana, coordinador regional del PIR—, será muy difícil que podamos recuperarnos. Nos jugamos el todo por el todo.

Del dicho pasaron a los hechos. En cuestión de semanas, el bien aceitado aparato pirrista parecía invencible, como resultado de la labor titánica realizada en las colonias populares. Los repartos masivos de frijol y maíz, la puesta en marcha de obras de urbanización, la construcción de aulas, alcantarillados y hospitales, sirvieron de marco a la gran subasta de sufragios.

—Sólo el PIR —repetían los jilgueros de la oficialidad— es capaz de gobernar. ¡Aquí están las pruebas!

El día en que se celebraron los comicios municipales, no se descuidó un solo detalle. El adiestramiento de los funcionarios de casilla, previamente seleccionados entre los militantes pirristas de probada lealtad, no permitió divagaciones. Además, hubo varios destacamentos de custodios instruidos para amedrentar a los votantes y hacerlos desistir cuando se captaba que eran "contrarios". Preparada a conciencia, la maquinaria del fraude incluyó, en casos extremos, el robo de ánforas.

Los escrutinios, sin embargo, fueron desfavorables al PIR, cuyos dirigentes no se dieron por vencidos: movilizaron a miles de personas para reclamar la "victoria", modificaron las cifras de las actas electorales y presionaron a las autoridades en la materia para que promulgaran el triunfo pirrista. En la plaza principal de Tho, la capital de Mayalán, se reunió a cerca de 30 mil campesinos, acarreados desde sus ejidos, para realizar un gran mitin:

—¡Ganamos! Sólo protestan los resentidos, los amargados que únicamente hablan de democracia cuando los resultados les son favorables. Ahora deben callar —se desgañitaba el orador principal del acto.

Por su parte, el PAR y su candidata, Rosita Peláez, exigieron respeto a la voluntad popular, petición respaldada por los aspirantes de los demás partidos de oposición. Había pasión y entereza.

—Teníamos pruebas suficientes de que se pretende consumar un fraude de proporciones inimaginables. De ustedes, compañeros, depende el curso de los próximos acontecimientos. Permanezcamos unidos y vigilantes —exclamaba, convencido, el líder regional del PAR.

En la revisión final, el PIR superaba al PAR por estrecho margen, gracias a las manipulaciones estadísticas y el desvío de los "paquetes electorales" que contenían las cifras de cada casilla. Y la autoridad correspondiente, tras una reunión maratónica —de más de veinte horas de duración—, decidió revalidar el "éxito" de los institucionales.

—Número sobre número, no nos queda duda alguna...

—Están infladas las estadísticas. No se vale. Atentan contra el pueblo —insistían los paristas.

En el último instante, el presidente de la Comisión Revisora recibió un telefonema.

—Habla Ramírez Casas. Debo darle instrucciones precisas del señor presidente: respete usted el triunfo de la oposición.

—Pero, señor ministro, ya todo está cocinado. Habrá, como siempre, algunas protestas, las cuales se irán diluyendo al paso de los días. Tenemos el control de los documentos: ganamos por más de cinco mil votos.

—Anule las casillas que sean necesarias. ¿Entiende?

—Pero... ¿qué voy a decirle a los del PIR?

—Eso no es asunto suyo. Tranquilo. Y recuerde: ni un paso en falso.

Minutos después, ante la sorpresa de los representantes del partido oficial, el funcionario procedió a revisar y cancelar los sufragios de diez casillas "conflictivas". Sin los votos de éstas, la tendencia se inclinaba en favor del PAR.

—¿Qué está usted haciendo? No podemos permitir...

—Lo siento. El PAR obtuvo la mayoría y aquí está la acreditación respectiva. ¡Felicitaciones, señores!

—Pero, ¿qué pasó?

La máxima autoridad electoral en la región se limitó a alzar el índice y apuntar al cielo. Por supuesto, la inconformidad se apoderó de los miembros del PIR.

—Se han burlado descaradamente de nosotros. Fuimos usados como trapeadores viejos —afirmó Mayté Domínguez, la candidata derrotada.

—No me lo explico. Teníamos la victoria en la bolsa... trató de razonar Guadiana.

—Yo sí —aseveró el diputado Rubén Baledón—. Negociaron: entregaron el poder a nuestros enemigos. Así, el presidente avanza y a nosotros nos lleva la fregada.

—No hables así, Rubén. ¿Para qué exhibirte si ya no hay nada por hacer?

—Eso es lo más triste de todo: no habrá manera de frenar a los paristas. Están seguros de que cuentan con el aval superior. Es increíble. ¿A quién está sirviendo el presidente?

—Calma, por favor —pidió Guadiana—. Sus razones tendrá...

—¡Vaya que las tiene! —intervino Florentino Grajales, antiguo militante y ex líder provincial del PIR—. Hemos sido objeto de una transacción política. Está muy claro: se sirvieron de nosotros para hacer más redituable la oferta presidencial a la oposición. Si el PAR hubiese arrollado, dicha negociación carecería de objeto. Pero como la pelea fue cerrada... el presidente venderá cara la supuesta "derrota".

—Trabajamos para el presidencialismo, no para el PIR —se quejó la perdedora—. Somos conejillos de Indias, sin criterio ni iniciativa. A esto nos han reducido.

—Pero López Arenas salió bien librado... —concluyeron todos.

5

—¿Es usted Méndez Duarte?

El periodista, acostumbrado a recibir telefonemas insólitos, no se extraña al escuchar el acento característico de los latinos avecindados en Estados Unidos.

—Soy Antonio Garay, agente de la DEA —la Agencia Antinarcóticos del gobierno norteamericano—. Es probable que usted haya oído hablar de mí: estoy relacionado con el caso del Dr. Rodolfo Armendáriz y existe una orden de aprehensión contra mí en su país.

El médico de referencia, sobrino del procurador general, el Dr. Hilario Armendáriz del Olmo, había desaparecido semanas antes. Luego fue presentado en la Corte de Los Ángeles, acusado de complicidad en el asesinato del policía estadunidense Enrique (Kike) Salcedo. La indebida intromisión en territorio nacional de agentes extranjeros había desatado una oleada de indignadas reacciones. No obstante, la Cancillería apenas protestó, limitándose a comunicar los sucesos a su homóloga en Washington y a solicitar, muy atentamente, que se le informara sobre el particular.

—Se armó por allá un buen escándalo, ¿no? —continúa Garay—. Pero, ¿sabe usted?, ya estábamos cansados de que nos tomaran el pelo. No vamos a parar hasta encontrar a los verdaderos culpables del homicidio de Kike, aunque tengan que caer las más altas cabezas.

—¿En qué puedo servirle? —pregunta, intrigado, Méndez Duarte.

Garay apenas reparó en el interrogante y siguió con su agitado monólogo. Parecía tener mucho que decir y poco tiempo para hacerlo.

—Pertenezco al grupo "Leyenda", precisamente el encargado de detectar las conexiones del narcotráfico en Latinoamérica. En especial, las referidas a las autoridades reclutadas por los "capos". En su país abundan, ¿verdad?

—No sé a dónde quiere llegar, señor Garay.

—Lo estamos llamando, porque conocemos sus artículos. Nos da la impresión de que lo más trascendental ha preferido guardarlo para usted. Sobre todo en lo que hace al asesinato de sus colegas.

—He procurado evitar especulaciones. En este sentido, sólo escribo lo que me consta. Y, por desgracia, no es mucho.

—Mire: tenemos la convicción de que los crímenes de los periodistas y el de Salcedo están interrelacionados, porque nuestras investigaciones apuntan hacia los mismos autores intelectuales. Es muy extraño, pero cierto: se trata de la misma red.

—¿Podría proporcionarme los nombres de los sospechosos?

—Usted ya los sabe: Juan Díaz Torquemada, el general José Alavez Garduño y Manuel Cocom Parrado.

—Bonita colección: los ex secretarios del Interior y de Guerra, además del ministro de la Propiedad Rural. ¿No "tira" más alto, Garay?

—Es lo que pretendemos establecer. No descartamos nada. Usted, que vive ahí, quizá podría respondernos a una pregunta: ¿es posible que el presidente desconozca las actividades ilícitas de algunos de sus principales colaboradores? No se trata de una mera coincidencia. Los tres sujetos mencionados aparecen vinculados en todos los asesinatos, ya sea como "tapaderas" o socios.

—Pero, usted habla mucho y no precisa. ¿En qué basa sus acusaciones? ¿Tiene pruebas?

—Se sorprendería usted. Vaya, tenemos grabaciones de reuniones ultrasecretas sostenidas entre los principales "capos" y Alavez. Incluso, una película donde se aprecia cómo le entregan al general un paquete, presumiblemente lleno de dólares.

—¿Por qué no han procedido entonces a denunciarlo, primero, y a solicitar, después, su extradición para que sea juzgado en Estados Unidos?

—Tenemos limitaciones. Hay cuestiones de alta política en las que no podemos intervenir. Y ésta es una de ellas. Nuestro presidente, como ocurrió con los *marines* en Vietnam, nos manda a la guerra con un brazo amarrado. Esto lo complica todo.

—Vamos por partes, señor Garay. Me parece muy extraño que usted, al primer telefonema, revele tantas confidencias. Podría ser muy comprometedor para ambas partes, ¿no lo cree?

—Ya se lo dije: necesitamos información. Usted le ha seguido los pasos a Cocom desde que él fuera gobernador de Mayalán. Así, ganamos tiempo sin mayores preámbulos. Lo conocemos bien, Méndez Duarte, aunque usted no nos identifique plenamente. ¿Sabía usted que Cocom recibía al "zar" Cardós Gaviria en su rancho Los Patos? ¿Y que fomentó la construcción de pistas clandestinas de aviación?

—Ése es un punto que aún no digiero. Cocom y Alavez chocaron fuertemente cuando éste denunció al mandatario por "proteger" a los cultivadores de mariguana, contrariando las disposiciones al respecto.

—Fue una maniobra para descontrolarnos. Eso ocurrió en mayo de 1986, cuando ya le pisábamos los talones al entonces ministro de Guerra. Éste, para despistar, emprendió los programas espectaculares de confiscación de drogas y aprovechó la oportunidad para comprometer a quienes se le estaban saliendo del huacal.

—Entonces Cocom no las traía todas consigo.

—Más bien, podemos decir que eran otros sus apoyos. Los grupos están fraccionados y cada uno vela por sus propios intereses. En realidad, ambos personajes nunca rompieron, sólo se tensaron sus relaciones.

—¿Y Díaz Torquemada?

—Desempeña un papel clave en todo esto. Desde luego, tuvo injerencia en el homicidio del periodista José Antonio Maldonado... y en el del padre de usted, ocurrido en la Sierra del Soldado. Además, no es ajeno al crimen de Salcedo: el doctorcito Armendáriz ya soltó la lengua y lo mencionó. Al parecer, Díaz Torquemada fue quien indicó a los secuestradores de nuestro compañero que le sacaran toda la información posible. Por eso, torturaron salvajemente a Kike.

—¿Han comunicado esto a sus superiores?

—Por supuesto. Y ellos, a su vez, lo transmitieron a las autoridades de su país. En las altas esferas se sabe todo esto. Y, sin embargo, Díaz Torquemada es ahora ministro de Enseñanza Pública. ¿Cómo es posible?

—Quizá quieran tenerlo cerca... por alguna misteriosa razón.

—Eso mismo pensamos al principio... pero ya transcurrió mucho tiempo, más de dos años, contados a partir de que fue nombrado secretario por López Arenas.

—¿Cómo supieron lo de los ranchos de Cocom?

—Tenemos decenas de informantes, varios de ellos puestos a buen recaudo. Para que lo sepa: la hacienda esa, Los Patos, es copropiedad de Cardós Gaviria. Por lo menos, él invirtió ahí mucho dinero. Ambos solían adentrarse en Mayalán para festejar en grande: vino y mujeres sobraban, aunque Cocom sea más bien torpe con las féminas.

—Él presume de lo contrario.

—Más bien le hace a todo... con tal de ascender. ¿Me comprende? Ciertas ligas obedecen a cuestiones distintas de las de las drogas. ¿Podría usted, Méndez Duarte, proporcionarme información sobre el asesinato de su padre?

—He difundido el nombre del presunto autor material, un tal René Peláez. Este sujeto sirvió como lacayo a Cocom y es el responsable del montaje electrónico instalado para espiar a los enemigos del ministro de la Propiedad Rural. Trabajó en calidad de miembro de la policía secreta, cuyo nombramiento fue expedido por el señor Díaz Torquemada. Aquí se establece el nexo inocultable.

—¿Qué le hace asegurar la culpabilidad de Peláez?

—Uno de los agentes de Díaz Torquemada, adscrito a la Sierra del Soldado, me aseguró que este tipo se encargaba de vigilar a mi padre por instrucciones superiores. Me hizo esta confesión, entre avergonzado y temeroso, después de haberse enterado de que a su jefe inmediato lo habían acribillado en su domicilio. Consideraba que él podía ser la próxima víctima. La idea lo enloquecía.

—Muy interesante. ¿Me permite usted enlazar a mi superior, Eleazar Terrones, con esta conversación? Voy a usar un *three-line*.

—*Hello, I mean...* ¿estamos listos? —Terrones pasa dificultades para iniciar la comunicación en español, pese a su origen latino—. ¿Méndez? Quiero insistir en invitarlo a Estados Unidos. Nos interesa mucho que venga usted...

—De eso hemos estado hablando, patrón —señala Garay—. Ya me dio algunos datos sueltos, pero podemos completar el cuadro con un poco de buena voluntad.

—¿Méndez? ¿Podría viajar usted?

—No de inmediato. Además, le repito que todo cuanto sé lo he publicado. Pretender abundar, sin más, resultaría ocioso.

—Pero podemos confrontar nuestros informes con los suyos y sacar así valiosas conclusiones. ¿Le interesa?

—En principio sí. Denme tiempo.

—¿Se da usted cuenta de lo que puede pasar? —la voz de Terrones revela preocupación. Todo el gobierno podría estar involucrado. Todo, ¿me entiende usted? Hasta muy arriba...

—¿Cómo pasó la noche el general Alavez? —pregunta Alfonso García Ruiz, general de división con limpia trayectoria en el servicio de las armas y ministro de Guerra, quien es directo en sus observaciones y de probada lealtad al presidente.

—Mal, mi general —responde el teniente coronel Melquiades Tejero, jefe del Estado Mayor—. Desde que intentó suicidarse, no ha tenido un momento de tranquilidad. Sus reacciones son imprevisibles.

—Acuérdese de que debemos extremar la vigilancia. Se trata de la seguridad del Estado. Insisto en que sólo usted, los de la Inteligencia Militar y los custodios de mucha confianza deben estar enterados de su reclusión en nuestro Campo Militar.

—Sus instrucciones, mi general, han sido cumplidas al pie de la letra. Por ese lado no hay problema alguno.

—¿Han preguntado por él sus familiares?

—Muy insistentemente. Les hemos dicho, como ordenó usted, que el señor está comisionado en un asunto muy delicado. Y que su misión se prolongará de tres a cuatro meses.

—¿Y los periodistas?

—Un corresponsal de *Los Ángeles Times* parece tener información sobre el paradero del general. Nos ha puesto en predicamento...

—¡Qué barbaridad! Entonces alguien "filtró" la especie. Interrogue a los guardias. De inmediato, Tejero.

—Ya lo hemos hecho, mi general. De aquí no partió la indiscreción, puedo asegurárselo.

—¿Entonces? ¿Quién más sabe del asunto, Tejero?

—Quizá el secretario del Interior pueda contestar...

—Ignoro si él está enterado. Yo sólo he hablado del caso con el señor presidente.

—Perdone usted, mi general. ¿Acaso él no lo habrá transmitido a alguno de sus colaboradores?

—Eso no podemos saberlo. Sin embargo, es probable que al notificarle este problemita nos diga algo. Ni una palabra más.

García Ruiz lee, una vez más, la transcripción de lo que Alavez, fuera de sí, había revelado la tarde anterior. Luego, marca el número uno de la "línea roja".

—Don Roberto —Aceves, secretario privado del presidente López Arenas—, ¿puedo hablar con el señor?

—Un momento, general. ¿Está usted bien?

—Espléndidamente, amigo Roberto. Como siempre.

De inmediato, escucha la voz del jefe del país.

—¿General? ¿Cómo va eso?

—Algunas complicaciones, señor presidente. En apariencia, alguien informó del asunto a un corresponsal.

—Pero, ¿quién pudo ser, general?

—De nuestro ministerio no partió la versión. Hemos sido extremadamente prudentes.

—Mmm... Esto no me gusta nada, general... ¿Algo nuevo sobre Alavez?

—No logra conservar la calma. Está afectado por una paranoia aguda. Sin embargo, ayer por la tarde dijo algo interesante...

—Venga de inmediato, general —López Arenas, contra su costumbre, se muestra impaciente.

—Puedo adelantarle que, según él, Díaz Torquemada fue el responsable de la muerte de Salcedo. Precisó, incluso, cómo operó el dispositivo. Por supuesto, él asegura ser inocente. Casi sollozando, aceptó que lo habían engañado, lo mismo que a De la Tijera.

—Definitivamente inverosímil, general. Tráigame la declaración íntegra. ¡Y que no se "filtren" más datos, por favor!

José Alavez Jr., primogénito del ex secretario de Guerra, y Lorenzo Gómez Esparza, compadre y confidente de Manuel Cocom, fueron acribillados durante un enfrentamiento con miembros del ejército. Ambos se habían atrincherado en una vieja cabaña del Valle del Valiente, junto con veinte de sus fieles servidores, quienes también resultaron muertos. En el interior de la vivienda se encontraron planos detallados de las regiones dedicadas al cultivo de estupefacientes, específicamente de mariguana y amapola, así como aparatos de radiocomunicación muy sofisticados y un arsenal.

—Es claro, mi general —explicó Tejero al actual ministro de Guerra—, que eran los enlaces. Los sorprendimos y no tuvieron tiempo de huir en su avioneta. Por cierto, el aparato tenía las siglas de la Procuraduría General y la matrícula corresponde a las destinadas a esa dependencia. No era simplemente camuflaje.

—¿Ni uno solo quedó vivo?

—Por desgracia no, mi general. Para colmo, el granero, donde estaba la mayoría de los efectivos, se incendió y los cadáveres quedaron calcinados, irreconocibles. Sin embargo, logramos rescatar estas cintas. Ya las escuché, señor.

—¿Y bien?

—Identificamos la voz de "Lalo", el "rey" de Colombia, y las de varios "capos" célebres. En este momento, tengo a los de Inteligencia investigando las claves. Pero, sin duda, estamos en posibilidad de darles el golpe mortal... si así lo ordena mi general.

—Reúna todas las pruebas con el mayor sigilo. No es necesario repetirle que debemos guardar absoluta reserva.

El embajador de Estados Unidos, Ralph M. Scott, pondera la gravedad de los últimos acontecimientos.

—Si procedemos con energía, daremos un golpe frontal al gobierno de López Arenas, administración que incluso podría desplomarse. Lo cual no nos conviene, por ahora. Sin embargo, no cesa el flujo de nombres, entre los cuales figuran aquéllos de varios peces gordos.

Revisa la carpeta, en cuya carátula destaca la leyenda *Top Secret*, y comienza a enumerar a los personajes: Díaz Torquemada, Cocom, Alavez, Ramírez Casas. A este último se le imputa la sospechosa tutela, en el interior del país, de varios criminales, de los cuales hay indicios de que no eran del todo extraños a la "red".

—Tenemos aquí, al menos, a medio gabinete —explica Scott—. Por ello, debemos actuar con mucho tiento y simular una ceguera casi total.

—La madeja está creciendo, señor —enfatiza el representante de la CIA, John Kirkpatrich, acreditado como cónsul—. Y no sabemos, a ciencia cierta, hasta dónde llega. Nos imaginamos cosas... sólo eso.

—Lo entiendo. Pero nuestro deber primordial es garantizar los intereses de Estados Unidos. Y yo no sé, a la vista de tanta porquería, qué papel debemos desempeñar al respecto. La Casa Blanca nos pide trabajar por la estabilidad de este país, la cual no puede ser más endeble.

—Aun así, a los criminales hay que tratarlos como tales. Si se hubiera actuado según este criterio, no lamentaríamos el reclutamiento de Noriega, en Panamá, y el afianzamiento de Hussein en el Oriente Medio.

—Para cada caso hay una explicación. Noriega fue útil en su momento, pero se nos escapó de las manos... Y, bueno, lo de Hussein es otra historia.

—No hay mucha diferencia. Me temo que si no intervenimos ahora, después será demasiado tarde y sólo podremos lamentarnos.

Al embajador no le agradaban los frecuentes "baños de pureza" de quien, sólo en apariencia, es su subordinado. "¿Qué pretenderá éste? ¿Acaso que patrocinemos una invasión sin medir las consecuencias", reflexiona Scott.

—Se lo repito, señor embajador. Debemos proceder sin tantas contemplaciones.

—¿Y luego quién va a parar el ferrocarril? No, John. Entiendo que se apasione, pero no se ofusque. Todo a su tiempo, paso a pasito.

Con el rostro desencajado, el procurador general, Dr. Hilario Armendáriz del Olmo, veterano abogado y ex mandatario de la provincia de Jalpa, enfrenta en Washington los severos planteamientos de los miembros del Club de Prensa. Durante la charla inicial, a la que había sido invitado por mediación del Departamento de Estado norteamericano, el funcionario sólo pudo despejar unas cuantas dudas, limitándose a relatar los hechos ya conocidos y oficialmente aceptados.

—¿La captura de su sobrino Rodolfo no deteriora su reputación y la imagen de su gobierno?

—Hemos elevado nuestra protesta por la indebida actuación de la DEA en este caso. Respecto a lo que usted pregunta, tanto mi gobierno como la solvencia moral de quienes lo conformamos están muy por encima de las insinuaciones y las visceralidades. Más nos indigna la resolución de la Corte Suprema de Estados Unidos sobre el derecho de los norteamericanos para hollar suelos ajenos en persecución de supuestos delincuentes. ¡Es una agresión a las soberanías nacionales!

—Sin embargo, doctor, el procesado ya admitió su responsabilidad en el homicidio del agente Salcedo. ¿Qué puede decirnos de este asunto?

—Soy ajeno al proceso que menciona. Está fuera de nuestra jurisdicción. Lo que procede es la entrega del secuestrado, de acuerdo con el derecho internacional y las normas de la buena vecindad.

—¿En su país continúan las investigaciones en la materia?

—El expediente ya está cerrado. Como ustedes saben, se procedió a la captura y consignación de los responsables, quienes ahora purgan condena. Procedimos pulcra y rápidamente.

—Pero, hay muchos cabos sueltos...

—Le repito que no voy a admitir especulaciones. Los narcotraficantes culpables del crimen están en la cárcel. No existe impunidad para nadie.

Armendáriz del Olmo da por terminado, abruptamente, el tenaz interrogatorio, dejando a los informadores con las manos en alto en demanda de atención. Presuroso, sale de la sala de conferencias para dirigirse al Departamento de Justicia, donde ya le aguarda su colega norteamericano.

—¿Salimos bien, amigo Hilario?

—No tanto como hubiese sido mi deseo. ¡Esos periodistas impertinentes casi me hacen perder la calma!

—Así es siempre. Debemos considerarlos como uno de los precios de nuestra democracia. En fin, ¿qué nuevas tenemos?

—Se ha recrudecido, a últimas fechas, el malestar de mi gobierno por la permanente invasión de nuestro territorio...

—Preparamos una disculpa diplomática al respecto. Han sido incidentes aislados que mucho lamentamos.

—Entonces ¿por qué no nos devuelven a Rodolfo Armendáriz?

—Por desgracia, eso escapa a nuestras facultades. Él está en manos del juez de Los Ángeles y, hasta donde yo estoy enterado, se ha declarado culpable. Su situación es muy delicada.

—Pero los métodos usados para su traslado a Estados Unidos dejan muy mal parada a nuestra proverbial amistad. Es necesario que reparen la afrenta contra la soberanía de mi país.

—Le he dicho que les enviaremos una satisfacción por escrito. Es lo más que podemos hacer. Nos preocupa otro asunto: los involucrados en el proceso. Todos son personajes muy conocidos en su nación, de muy alto rango. Y debo decirle que esto nos coloca en una situación difícil.

—Es natural que un detenido mienta bajo presión. ¿Hasta dónde quieren llegar?

—Mire usted: las relaciones entre nuestros dos países tienen gran importancia. Y estamos cuidándolas. Pero, como usted comprenderá, no podemos dar carpetazo a un episodio tan complejo como el que nos ocupa. Las pruebas deben desahogarse.

—Pero no a costa de sus amigos, colega. Nos da la impresión de que quieren reducir la capacidad gestora de nuestro presidente involucrándonos en pesquisas judiciales de dudoso origen.

—¡Oh, Dios! Nada de eso. Nos interesa que, al final, todos quedemos limpios. Sólo así estaremos verdaderamente tranquilos.

La conversación no dejó satisfecho a Armendáriz. En cuanto descendió del avión que lo llevó de regreso a la capital del país, se le informó que el presidente lo requería con urgencia. Inquieto, se trasladó a Los Laureles. Al llegar, López Arenas evitó el abrazo.

—Hilario, con mucha pena debo pedirle su renuncia.

—Pero, ¿por qué? Traigo buenas noticias. Me dijeron en el Departamento de Justicia que saldremos limpios, pues eso también buscan ellos.

—Ya no podemos seguir eludiendo las sospechas. Por supuesto, no le dejaremos al aire. ¿Le parece bien, como refugio momentáneo, la titularidad del Banco de Crédito Empresarial?

—Soy disciplinado, señor presidente. Pero no creo...

—La decisión está tomada. No hay nada más de que hablar. Le agradezco su comprensión, Hilario. Sabía que podía contar con usted.

—¿A qué hora debo entregar la oficina?

—Ahora mismo. En su lugar quedará Modesto Blanco Verduzco. Gracias, otra vez.

Al sur del país, en uno de los linderos del río Sucinta, un pelotón de *marines*, que supuestamente no podía operar en la zona por respeto a la soberanía ajena, descubre a un conjunto de presuntos traficantes de drogas. Ambos grupos se enfrentan a tiros y cada uno sufre bajas. Los norteamericanos, en una rápida maniobra, ganan la orilla opuesta y someten a los delincuentes a una refriega cruzada. Al cabo de unos minutos, estos últimos deciden rendirse.

—Vamos a ver, ¿quién es el jefe?

El que se da por aludido avanza y encara al extranjero,

—Ustedes no tienen por qué estar aquí. Están invadiendo el territorio nacional.

—Nos resultó patriota el jovencito. ¿Tiene alguna identificación?

Tras un breve forcejeo, aparecen las credenciales. Todas corresponden al ejército e identifican a los oficiales: capitán, sargento, cabo...

—Así que son militares, señores. ¡Vaya sorpresa!

—No tenemos por qué contestarle. Exigimos una explicación por esta detención arbitraria.

—¿Arbitraria dice usted? Sus camiones están llenos de cocaína y pretenden aparecer como ciudadanos respetables. Increíble. ¡Súbanlos!

A bordo de un helicóptero estadunidense, los doce soldados son transportados, sin que se les den más explicaciones, a una pista oculta. Ahí los aguarda un avión de la misma procedencia, el cual los lleva hacia la Florida.

—No tienen derecho —insiste el militar de más alto rango— a capturarnos. Acabábamos de efectuar un operativo y la droga que ustedes encontraron es la que habíamos confiscado a los verdaderos narcos.

—¿Ah, sí? ¿Y dónde están los detenidos?

—Todos murieron en la acción.

—Entonces podremos encontrar los cadáveres. ¿Podría señalarnos el sitio de la reyerta?

—Tendrían que internarse varios kilómetros en la selva.

—No importa. Señale el lugar y el problema para llegar ahí será nuestro.

—No tenemos ninguna obligación de hacerlo. Somos militares y estábamos cumpliendo órdenes. Además, ustedes han invadido...

—¡Basta, ya! Las explicaciones pueden formulárselas al juez, en su momento.

—Exigimos ser llevados ante nuestros superiores. ¿A dónde vamos?

—A un sitio en el que no encontrarán refugio: Miami.

La noticia del "incidente" llegó con prontitud al Ministerio de Guerra. El teniente coronel Tejero dio instrucciones al jefe militar del sur para que rodeara el área. Pero éste ya no encontró nada.

—Mi general García Ruiz, doce de nuestros elementos han desaparecido. Lo grave es que...

—Hable, Tejero. No se detenga.

—Interceptamos algunas comunicaciones radiofónicas: fueron capturados por tropas de Estados Unidos.

—¿Qué está usted diciendo? Eso no es posible. ¿Cuál era su ubicación?

—Se hallaban en el sur, señor. Cerca del Sucinta, en la provincia de Chinampa.

—Entonces los extranjeros debieron atravesar todo el país... ¿Se da usted cuenta de lo que esto significa?

—Perfectamente, señor. De los doce compatriotas, cinco son oficiales.

—¿Cuál era la misión que desarrollaban ahí los nuestros?

—Operativos contra el narcotráfico, mi general. Parece que habían desarticulado a una banda.

—¿Confiscaron las drogas?

—No podemos establecerlo. No dejaron ningún rastro los desgraciados *marines*. ¿Qué hacemos, señor?

El jefe del Ministerio telefoneó, como era lógico, al presidente. No lo encontró en Palacio, porque en ese momento encabezaba una magna reunión con dirigentes campesinos. Inquieto, decidió entonces llamar a la Embajada de Estados Unidos.

—¿Señor embajador? Le habla el general García Ruiz. Quiero hacer de su conocimiento que un destacamento norteamericano capturó a doce miembros de nuestro ejército.

El diplomático desconocía los hechos. Ni siquiera estaba enterado de la acción.

—Debe haber un error, general. Le ruego esperar una comunicación mía dentro de algunos minutos. Voy a informarme.

Cuarenta y cinco minutos más tarde, el presidente López Arenas responde al urgente llamado del militar.

—¿Qué es tan delicado, mi general?

García Ruiz le explica, con detalle, todas las implicaciones del "incidente", considerando que los capturados realizaban tareas oficiales.

—No logramos comprender, señor presidente, qué hacían ahí las tropas estadunidenses. Debo decirle que ya "peinamos" la zona y no descubrimos rastro alguno. El operativo fue limpio y extremadamente cauteloso. Vaya, ni los camiones encontramos.

López Arenas permanece en silencio unos instantes. Luego pide a su secretario, Roberto Aceves, que se comunique a la Casa Blanca y toma el auricular antes de que responda el presidente George Bush quien, pasando por alto los saludos protocolarios, va directo al grano:

—Imagino por qué me llama, amigo César. Debo darle una explicación que, apelando a su buena voluntad, bastará para zanjar la pequeña controversia. Simplemente sucedió lo siguiente: dos aeronaves de las Fuerzas Aéreas de Estados Unidos descendieron en territorio de su país, porque una de ellas tenía problemas con las mangueras del combustible. Más tarde, mientras intentaban reparar el desperfecto, fueron materialmente asaltados por elementos vestidos de civil, a quienes confundieron con guerrilleros centroamericanos. Tras asegurar el cargamento que transportaban y reducir a los agresores, pudo constatarse que éstos eran narcotraficantes...

—Señor presidente: no lo son. Se trata de miembros del Ejército Nacional, incluyendo a varios oficiales, que realizaban precisamente un operativo contra traficantes de drogas.

—Por desgracia, sus informes son incompletos, amigo César. En efecto, se trata de militares, pero que estaban introduciendo estupefacientes a sù nación. Vestían atuendos de civil, no uniformes, y no pudieron explicar el origen de la mercancía. Al principio, alegaron que habían combatido a los verdaderos narcotraficantes; sin embargo, no pudieron presentarnos a uno solo de ellos ni señalar el lugar donde estaban, presumiblemente, sus cadáveres. Es claro que fue sólo una estratagema para distraernos.

—Insisto: no es extraño que los hubieran obligado a despojarse de sus uniformes para justificar la ilegal intromisión...

—Amigo César, no siga, por favor. Sería muy penoso que habláramos de más. En este momento están interrogando a los detenidos y ya veremos qué nos dicen. Confíe usted en mi palabra: no se procedió de manera arbitraria ni pretendemos agredir a un país hermano. Vamos a mantener abiertas nuestras líneas de comunicación, con objeto de establecer contacto más tarde.

—Bien, señor presidente. No omito manifestarle que definitivamente estoy muy preocupado. Son muy graves los hechos.

Alrededor de las ocho de la noche —el incidente había ocurrido en la madrugada de ese mismo día—, llamaron de la Casa Blanca para informar que diez minutos más tarde telefonearía el presidente Bush.

En el tiempo previsto, se escucha la voz del mandatario estadunidense.

—Amigo César: las cosas se han complicado. El oficial de mayor jerarquía, un capitán de apellido Martínez, confesó pertenecer al "brazo" secreto del ejército denominado "Atila". Según dice, este cuerpo es el encargado de vigilar la introducción y la salida de la cocaína colombiana.

—Eso es absurdo. Como le consta, señor presidente, nuestro gobierno ha dado muestras de indudable eficacia en la lucha contra los más célebres "capos". En el cumplimiento de su deber, han caído muchos soldados. ¿Cómo suponer un "amafiamiento" tan grande e indigno?

—Comprendo su malestar. Pero, por desgracia, hay signos que demuestran la veracidad de los asertos de Martínez. Se trata de una verdadera maraña.

—Señor: ¿no es ésta una justificación para minimizar la ilegítima invasión de nuestro territorio?

—¡Por Dios, amigo César! No necesitamos recurrir a semejantes artimañas, a fin de justificar un incidente internacional. Tampoco conviene, dadas las circunstancias, que transmitamos una disculpa diplomática. ¿Qué explicación ofreceríamos? Nosotros no podemos hablar del proceso secreto al que están sometidos los militares y ustedes... ¡ni pensar en que deseen divulgar las actividades ilícitas de una fracción del ejército! Es terrible para todos, ¿no?

—Me disgusta este giro, señor presidente. Por desgracia, no puedo sino esperar la realización de una investigación honesta, bilateral, a este respecto. Y, por supuesto, coincido con usted en que no debe trascender el conflicto. Permaneceremos en contacto, supongo.

—Por supuesto, amigo César. ¡Qué alivio contar con su comprensión! Muchas gracias.

Avergonzado, molesto, casi fuera de sí, el presidente López Arenas ordena que se presente ante él su ministro de Guerra.

—General, ¿qué sabe usted del grupo "Atila"?

—Está integrado por elementos altamente capacitados, señor presidente. Constituye el nivel de "excelencia" del ejército.

—Pues, ¡vaya excelencia, general! Primero, se dejan capturar por los *marines* y, después, confiesan barbaridades. ¿Qué sigue, García Ruiz?

—Señor: estoy confundido. ¿Quisiera usted ponerme al tanto?

—Es una pena, general, que ocurran sucesos de este tipo sin que usted se entere. Los oficiales interrogados en Florida declararon pertenecer a un organismo clave que relaciona al alto mando con los zares del vicio. ¿Qué le parece?

—No puedo creerlo, señor. Desde luego, yo...

—Nadie está acusándolo, general. ¿Quién fue el encargado de integrar al grupo "Atila"?

—Un militar insospechable: el teniente coronel Melquiades Tejero, mi hombre de confianza.

—En este momento, no me atrevería a calificarlo con tan altas notas, general.

Apenas entra en la habitación del militar José Alavez Garduño, el general Mario Betanzos, de la Inteligencia Militar, percibe que algo fuera de lo normal había sucedido durante la noche. La cama revuelta, los cajones abiertos, los papeles esparcidos en el suelo, son síntomas de una inspección arbitraria.

—General Alavez, ¿está usted bien? —pregunta en dirección al baño, cuya puerta se encuentra semiabierta. Al no obtener contestación, empuja dicha puerta y descubre el cuerpo de Alavez, que yace bajo la regadera, con las muñecas cortadas y en medio de un charco de sangre. No hay signos vitales.

Quienes revisan las pertenencias personales del general, no hallan nada que permita establecer las causas de su probable suicidio: al respecto, la única pista es la aguda depresión que había padecido desde hacía varios días. Sin embargo, la autopsia revela una profunda contusión en el pecho, la cual le produjo un intenso derrame interno.

—No pudo haberse caído —insisten los peritos—. Más bien se trata de un golpe seco, muy fuerte, propinado por un experto en artes marciales. El corte de las venas es tan solo escenografía: el general fue asesinado.

Sin embargo, las investigaciones posteriores no arrojan más luz sobre el suceso.

—Tiene lugar un crimen, en plenas instalaciones militares, y no somos capaces de encontrar ningún indicio que nos conduzca al homicida. ¿Qué clase de ejército es éste?

—Comprendo, general García Ruiz, su disgusto. Pero los vigilantes no vieron a ningún extraño durante la noche. El asesinato debe haberse producido hacia las once, hora en la que el general Alavez estaba solo, según los informes que tenemos.

—Ya veo lo que usted entiende por soledad. Debemos tomar medidas, muy rígidas, para desenmascarar a los responsables.

—Nada nos indica que hayan sido varios los involucrados, general.

—¿Y usted cree que el asesino pudo actuar solo?

El teniente coronel Melquiades Tejero, jefe del Estado Mayor y brazo derecho del titular del Ministerio de Guerra, es recluido en una prisión de alta seguridad por instrucciones superiores. Disciplinado y seguro de sí, el oficial no pone reparo alguno ni pide explicaciones, se limita a enviar una nota a su "amigo y maestro", el general García Ruiz:

"Mi general: trato de comprender por qué estoy en esta situación, pero mi lealtad me impide sospecharlo siquiera. Le ruego no abandonar a los míos. Le agradezco lo mucho que hizo usted por mí durante todos estos años."

—No es la confesión de un criminal —expresa García Ruiz—, sino la manifestación de un inocente. Creo en él, sinceramente.

—No se equivoque —responde el general Betanzos—. Tejero es muy hábil para mentir. Incluso me atrevo a adelantarle que él no fue ajeno al homicidio de Alavez. Esto, además de lo que usted y yo sabemos.

En la víspera, el alto mando había conocido el texto íntegro de las declaraciones efectuadas por los oficiales interrogados en Florida. Asimismo, había recibido la instrucción del presidente, formulada en tono muy enérgico, de que fuese aprehendido e interpelado ampliamente el teniente coronel Tejero, la aparente cúspide de la pirámide inmoral. Sin embargo, el jefe del Estado Mayor no respondió a ninguna de las preguntas planteadas.

Al día siguiente, en la segunda sesión, Tejero entregó una confesión firmada, que incluía una relación de los personajes "comprometidos" y una solicitud para ser enviado con la debida protección a las islas Marianas.

—General, la conexión llega hasta los más altos niveles —informó Betanzos—. ¿Se lo comunicamos al presidente?

—¿Tenemos, acaso, otra opción?

El mandatario López Arenas, sin perder la calma, facultó al jefe de la Guardia Presidencial, el general Gabriel Petterson, para que interviniera en las pesquisas.

—Si actuamos precipitadamente, podríamos causar un enorme malestar entre las fuerzas armadas. Y es imposible, por ahora, medir las consecuencias.

—Confíe en nosotros, señor presidente. Pero, en principio, puedo adelantarle que no existe ningún boicot en contra suya, ni el más mínimo riesgo de un golpe de Estado.

—Quién sabe, general Petterson. Descubierto el tumor, no sé si podamos extirparlo.

—Quizá no sea oportuno, señor presidente.
—¿Y habrá algún momento favorable?

El cadáver del periodista Méndez Duarte fue encontrado en el Lago Central, localizado a 80 kilómetros de la capital de la provincia De La Verarrica. Según el dictamen pericial, la víctima, que conducía un Ford Mustang 1981, se había salido de la cinta asfáltica, precipitándose desde lo alto del acantilado y cayendo a la laguna. Un infortunado accidente.

—Manejaba en estado de ebriedad. Según el examen químico-toxicológico, tenía en las vísceras 220 miligramos de alcohol por cada 100 gramos de sangre. Además, no viajaba solo. Lo acompañaba una dama, al parecer su secretaria, quien presentaba los mismos signos.

—Oiga, pero Méndez no bebía. Era un hombre muy hogareño, dedicado a los suyos. Jamás se le conoció una aventura o una borrachera.

—Siempre hay una primera vez para todo. No lo olvide.

La prensa dio discreta cobertura al suceso: "Extraña muerte de Méndez Duarte" informó, a tres columnas, *El Diarista*. Y aunque había indudables sinuosidades, la nota terminaba coincidiendo con la versión oficial del "lamentable accidente".

—Lo que no cuadra —mencionó el agente Garay, de la DEA, en Los Ángeles—, es que las autoridades no hayan dado aviso oportuno. Pasaron tres días desde su desaparición hasta que, de manera fortuita, un pescador dio cuenta del "hallazgo". Es mucho tiempo, ¿no?

En la capital, dos agentes especiales escudriñaron los archivos particulares del periodista, sin que los familiares del mismo hubieran podido evitarlo. Se apropiaron de varias carpetas y se marcharon, después de haber extendido, para cuidar las buenas maneras, su más sentido pésame a los deudos.

—Los gastos del sepelio y el traslado del cuerpo correrán por cuenta del Ministerio del Interior. Lamentamos mucho lo ocurrido.

—Gracias, señores.

—Sólo les pedimos que firmen este documento. Constituye la aceptación de que la tragedia se debió a un accidente automovilístico. Por desgracia, es un requisito indispensable para que podamos enviarles el cadáver.

Tres jefes de zona y otros cinco generales fueron señalados como colaboradores del grupo "Atila". Las pesquisas, muy adelantadas, permitieron establecer conexiones adicionales.

—Esto parece no tener fin, general Petterson.

—Ya encontramos el núcleo de la madeja, señor presidente.

—¿Cuántos oficiales más están involucrados?

—Unos veinte, señor. Pero de nivel inferior, afortunadamente.

—Tranquilice a sus huestes, general. Vamos a detener las investigaciones. No quiero que se continúe indagando. Eso sí: le ruego que mantenga al corriente, y con detalle, la lista de los sospechosos. Vamos a aplicarles ciertas medidas punitivas, pero sin llegar a la degradación.

—Como usted ordene, señor presidente.

—Si seguimos investigando, nos quedaremos sin aristocracia militar. Y esto es muy peligroso.

Petterson sonríe. "El presidente parecía acorralado dentro de su propia madriguera, pero yo lo he salvado. Pronto, cuando convenga, podré pasarle la factura", piensa el jefe de la Guardia Presidencial.

—El "carpetazo" nos hará ganar tiempo. Por ningún motivo y bajo ninguna circunstancia debe extenderse esta cuestión más allá de las filas de la milicia. ¿Entendido, general?

—Perfectamente, señor presidente.

López Arenas aprieta el interfón para llamar a su secretario.

—¿Roberto? Comuníqueme con la Casa Blanca. Y suspenda el acuerdo programado con el señor Rosas. Dígale que lo recibiré mañana al mediodía. Quiero estar solo para tomar algunas decisiones.

6

El periodista norteamericano Robert Smith, célebre por sus análisis sobre América Latina y sus reportajes de guerra, acusa en un editorial al presidente López Arenas de permitir que los fondos del Prone (Programa Nacional de Equidad) sean administrados de manera deshonesta:

> Amparado en su parentesco, Francisco López Arenas, hermano del titular del Ejecutivo, utiliza los recursos sociales para incrementar los haberes de la familia. Se dice que el presupuesto del Prone es tan amplio como las necesidades de los marginados y, sin embargo, no está sujeto al control de auditores y fiscales; así, su manejo depende de la buena voluntad del hermano mayor del presidente quien, cabe señalar, es el encargado de realizar y vigilar los cuantiosos negocios de su clan.

—Esto es una infamia —explota César López Arenas en su despacho de Los Laureles—. ¿De dónde proviene semejante información? Desprestigiar nuestro programa constituye un comportamiento ruin. ¡Es tan fácil criticar cuando no se contemplan los rostros hambrientos y las manos vacías de tantos compatriotas!

—Así es, señor presidente —el canciller Saúl Robles, citado con urgencia, comprende en ese momento el motivo de su presencia en la oficina presidencial.

—Saúl: redacte una nota de protesta. No podemos continuar consintiendo que, por cualquier motivo y sin respeto alguno, se lastime la imagen de nuestro gobierno.

—Señor, permítame recordarle que los comentarios provienen de un articulista y no del gobierno de Estados Unidos.

—Pero, ¿quiénes están detrás del asunto, Saúl? Ésta es la cuestión. Queda claro que intentan desgastarme para la negociación final; buscan, a cualquier costo, ganar espacios.

—Insistirán en el respeto a la libre expresión y...

—¡Pretextos! Allá saben ejercer la censura mucho mejor que nosotros. Pregunte cómo les va a quienes difaman sin tener bases.

—Podríamos iniciar una acusación formal por calumnias. Sentaríamos un precedente...

—No siga usted, Saúl. Como presidente, no puedo someterme a una soberanía ajena. Y como particular, es imposible que me despoje de la investidura presidencial para participar como protagonista de un juicio por efectuarse en el extranjero.

—¿Entonces, señor presidente?

—Con la protesta diplomática bastará.

Francisco López Arenas, malhumorado, repasa también el artículo. Le inquieta, en su fuero interno, el cúmulo de pruebas reunidas que, sin duda, le comprometen. Algunos párrafos son demoledores:

Francisco negocia a espaldas del presidente, convoca a los inversionistas que concentran 60% de la riqueza nacional y utiliza a prestanombres para "cerrar" operaciones muy afortunadas. En los últimos meses, mediante este sistema, logró involucrarse en la adquisición de la antigua paraestatal Teléfonos Populares y en el consejo de administración de Banca Comercial, la mayor institución crediticia del país, recién desincorporada.

130

"Aquí hay gato encerrado. Ciertamente un informante, muy cercano a nosotros, habló más de la cuenta", cavila Pancho López Arenas.

Es tal la influencia del hermano del primer mandatario que no resulta difícil encontrar su aval en cualquiera de las transacciones mercantiles promovidas por el gobierno. Y no deja nada al azar: en semanas recientes, se hizo pública su pretensión de absorber la concesión del Hipódromo Bolívar, el principal centro de apuestas de la nación, con la supuesta intención de modernizarlo. Por cierto, la periodista que denunció el hecho fue obligada a abandonar su tribuna y debió marcharse del país.

La relación de negocios acreditados a la familia López Arenas es muy larga: casas de bolsa, ingenios azucareros, líneas aéreas, agroindustriales, inmobiliarias, antiguas paraestatales, etcétera.

El poder de los López Arenas es tan grande, independientemente del ejercicio presidencial, que sería muy difícil concebir una reestructuración económica o política sin consultarles. Esto aumenta la expectativa de una posible reelección de César... o de alguna opción que involucre directamente a uno de los miembros distinguidos de la familia.

"Ésta es la peor parte. Quedamos al descubierto, pero es casi seguro que nuestra prensa no haga eco de semejante relato. Es un tema muy delicado", reflexiona Francisco, antes de intentar comunicarse, infructuosamente, con el presidente. Luego, comienza a recibir una serie de llamadas telefónicas.

—Te habla Arcadio Simpson. ¿Qué tanto nos compromete la información publicada sobre Teléfonos Populares? Es una lástima que haya aparecido precisamente ahora, cuando pretendíamos reorganizar la telefonía celular.

—Nuestros planes no tienen por qué variar. Es más, desmentiremos a Smith. ¿Cómo puede demostrar sus asertos? No, Arcadio, tranquilízate.

—Me alivias, Pancho. Algunos de nuestros socios están muy inquietos porque, en el transcurso de la semana, han sido sometidos a interrogatorios relacionados con las inversiones de ustedes, los López Arenas, en el área.

—¿Ah, sí? ¿Y quiénes son los curiosos?

—Sobre todo los corresponsales gringos. Al parecer, tienen muy buenas "fuentes". Más que la realización de una entrevista, han buscado la confirmación de sus sospechas.

—Lo que me dices es muy interesante. ¿Sobre qué han manifestado mayor preocupación?

—Con respecto a la compra de Banca Comercial. Han explicado que, según tienen entendido, no hubo un concurso real y que los depósitos en garantía sólo sirvieron para disimular la consigna en favor del grupo Patria. Lo extraño es que conocen los nombres de los accionistas, incluyendo el tuyo.

Recibe, más tarde, el telefonema de Gustavo Abraham, el comprador mayoritario del banco recién privatizado, a quien le explica:

—Es posible, sólo posible, que alguien esté proporcionando información confidencial sobre nuestras inversiones a la prensa internacional. Esto sería muy grave, Gustavo. Sobre todo porque ignoramos dónde están las grietas.

—¿Algún nombre en especial?

—Ni idea. Pero es muy extraño que, de pronto, aparezca una relación tan extensa, sin que nadie del grupo haya detectado el espionaje. Suena ilógico.

—¿Y qué dice el presidente?

—Aún no lo sé. Debe estar muy molesto. Pareciera que las flores estuviesen convirtiéndose en lanzas. Perdóname, pero está sonando la "red". Te hablo luego, ¿sí?

Nervioso, coge el auricular rojo.

—¿Pancho? —suena la voz del jefe del país—. Supongo que ya estás enterado. Sólo falta que den a conocer los números de tus cuentas privadas.

—Están muy bien resguardadas. Además, ningún banquero nacional intervino en las operaciones.

—Pero ya sabes cómo se las gastan los investigadores de la CIA. Son capaces...

—Imposible, te digo. Los números son ultrasecretos y, además, tenemos otros "filtros".

—Tal como están las cosas, yo no estaría tan seguro. Urge que hablemos. Ignoro si sabes de la conversación que sostuve con papá respecto a ti.

—Nnnoo, César, para nada. ¿De qué se trata?

—Ni más ni menos que del futuro. ¿Podrías venir dentro de un rato? Digamos a las dos de la tarde. ¿Está bien?

—El sistema, a diferencia de lo argumentado por quienes están adheridos al presupuesto, no es indestructible. Nada lo es. Los síntomas de descomposición, tan claros, indican que está por concluir el predominio de los usufructuarios de una revolución traicionada.

Guillermo Salazar, destacado politólogo, intenta sacudir al centenar de asistentes al Foro sobre Dogmas Políticos, convocado por la Universidad del Petén y que despertó un interés inusual de los medios de comunicación.

—Hay quienes insisten en que no habrá errores fatales que determinen el fin del actual estado de cosas —continúa, con vehemencia, Salazar—. Sostengo que las equivocaciones están muy a la vista: desviaciones conceptuales, pérdida de la esencia nacional, imposiciones sistemáticas y la negativa férrea a aplicar medidas correctivas. Pero el cambio llegará: la historia es irreversible.

Por su parte, Octaviano Pacheco, literato de primer nivel y eterno aspirante al Premio Nobel, defiende la estructura nacional:

—Miren ustedes: todos nosotros somos ciudadanos privilegiados que, emocionados, atestiguamos el avance de la apertura política en la tierra de nuestros antepasados. Basta con reflexionar sobre el desorden desafortunado que priva en otras latitudes, para confirmar que nuestra madurez nos llevará paulatinamente al desarrollo pleno, sin caer en desgastes suicidas ni en precipitaciones de consecuencias inciertas. Si dirigimos la mirada al pasado y contemplamos la antigua rigidez política, predominante hasta hace una década, corroboraremos el feliz advenimiento de la democracia.

Desde el inicio, los asistentes al debate han otorgado mayor credibilidad a aquellos que insisten en la "caída de los muros de prepotencia e incomprensión que han edificado, a lo largo de ocho decenios, los grandes simuladores pirristas". Uno de los académicos presentes puntualiza:

—La debacle se ha iniciado. El oscuro proceder del gobierno durante las jornadas electorales y el malestar general resultante han provocado el enfrentamiento de la sociedad civil con las autoridades, señaladas como ilegítimas por la ciudadanía informada. Esta considerable merma a la fortaleza institucional acarreará conclusiones muy distintas de aquellas de la tolerancia proverbial y el continuismo inducido.

Fernando del Real, ensayista y crítico "desde adentro", según se autodefine, agrega:

—El partido oficial marcha a contracorriente de los tiempos actuales, caracterizados por una sed insaciable de democracia y cambio. No podemos concebir al país como una isla gobernada por náufragos de la política, ajena al entorno mundial gracias a la aplicación de una vacuna exitosa contra la evolución histórica. Debemos esperar que nuestra nación sea asimilada por la tendencia universal. Es inútil sostener lo contrario, aduciendo peculiaridades que se rechazan a la hora de negociar con las potencias del norte.

José Enrique Turner, historiador de origen anglosajón, suma sus impresiones a la seguridad del cambio:

—Pensamos, luego existimos. Y como necesitamos vivir, es improbable que permanezcamos indiferentes ante los aires democráticos que soplan en el hemisferio. Somos una dictadura perfecta que garantiza el sustento para una pequeña aristocracia, mientras las mayorías deambulan buscando mendrugos de justicia. ¿Serán tan ciegos nuestros gobernantes para ignorar la realidad y suponer que podrán perseverar indefinidamente en sus objetivos autoritarios?

—Los pronósticos de los sabios me los paso por el arco del triunfo —responde Ramón Méndez, el "obrero inmortal", a los incisivos reporteros—. Nuestro sistema es sólido, porque sus bases están firmes y la militancia crece. En donde hay justicia social no se requiere de palabrería para definirla: existe y punto. Los señoritos, de frac y bombín, no saben lo que dicen porque jamás han formado parte del pueblo.

—¿El PIR, entonces, es eterno?

—Por supuesto, mi amigo. La eternidad tiene, para cada quien, su propia dimensión: en mi caso, nací con el PIR y con el PIR voy a morir. Me parece que a ustedes les ocurrirá otro tanto. Lo que suceda en el año tres mil no es de mi incumbencia.

—¿Llegaremos a ese año con el PIR?

—Eso debiera preguntárselo a quienes van a ver esos amaneceres. Me temo que yo ya no estaré aquí para entonces, aunque lo quisiera.

—Ha dicho que usted no verá la caída del PIR. Sin embargo, ya ha sufrido derrotas. ¿Puede explicarlas?

—Cuestiones de equilibrio, nada más. Somos una fuerza tan grande que podemos darnos el lujo de obsequiar posiciones a los adversarios históricos. Si lo examinan bien, ellos son los verdaderos dinosaurios.

—¿Ya tiene "gallo" para la sucesión presidencial?

—Siempre tenemos uno.

—¿Quién es?

—El mismo del presidente de la República.

—¿No intervendrá en la selección del candidato?

—Desde luego. En su momento y en la circunstancia que nos corresponda. Estamos seguros de que será un gran amigo de los trabajadores; mejor dicho, ya lo es, y no tenemos dudas sobre su patriotismo, honestidad y sentido democrático.

—Habla usted como si ya estuviera definida la nominación. ¿Es así?

—Por supuesto. No tenemos ninguna indecisión al respecto.

—¿Piensa usted en una reelección del presidente López Arenas?

—La merecería, sobradamente, por su entrega a las causas nacionales. Es un gran hombre.

—¿Directo a Los Laureles, señor?

—Sí, por favor. Ordénele a la escolta que se apresure. No puedo demorarme —responde Francisco López Arenas.

Basta una discreta señal para que los vehículos aumenten la velocidad. Durante el trayecto, no se topan con ninguna luz roja, porque los semáforos son debidamente controlados. "Igualito que las elecciones", piensa el viejo chofer de la casa.

—No entiendo —bromea el "patrón"— por qué se quejan de sufrir embotellamientos. Nosotros siempre tenemos la ruta despejada, ¿verdad?

Por medio del radio del lujoso automóvil, se entera de las últimas noticias. "Apenas es mediodía y los acelerados están destapados. En apariencia, todos tienen prisa por definir su propia postura. Pero no me gusta, en absoluto, que la llamada 'inteligencia nacional' le conceda cada vez menos posibilidades a nuestro trayecto'', medita el hermano mayor del presidente.

Las puertas de la residencia oficial se abren en cuanto llega la comitiva. Y, de inmediato, Francisco es conducido a uno de los amplios jardines interiores, adornado con fuentes versallescas, donde todavía puede escucharse el trino de los pájaros.

—Hola, César. Qué agitadas están las aguas. Primero, Smith; luego, los "genios" y, para colmo, Ramón. ¡Vaya ensalada! —ironizó para disipar su extrañeza: el primer mandatario no acostumbraba, menos los lunes, dialogar sobre alta política al aire libre. Además, lo veía meditabundo.

—Siéntate, Pancho. El horno no está para bollos. Temo que esta fecha señale el inicio de la carrera por la sucesión. No creo en las coincidencias.

—Siempre hay precipitados e insolentes...

—¿Te refieres al foro de intelectuales? Definitivamente, es difícil encontrar a alguno que quiera defendernos. Ni Octaviano, cuya vanidad tanto hemos halagado con homenajes y preseas, se atreve a ir más allá de los meros supuestos. Sus argumentos son débiles y él lo sabe. A veces me da pena que no sea capaz de aprovechar todo su talento.

—Pero, para eso, está nuestro venerable don Ramón. ¿Qué tal su pronóstico del año tres mil?

—Se pone en evidencia. El PIR, según dijo, tiene una vida paralela a la suya. Hermosa sugerencia, ¿no crees? Parece que nos gritara "no se olviden de mí... que todavía las puedo".

—No seas injusto. Está rifándosela por ti... antes que nadie. Y eso debemos agradecerlo.

—¿En plural, Pancho? ¿De verdad te gustaría mi reelección?

—No entiendo por qué me lo preguntas. ¿Pones en entredicho mi lealtad? ¿Acaso no te he demostrado...?

—Calma, Pancho, calma. Sé que somos un buen dúo. Eso me dijiste, hace unos días, en El Vellocino. ¿Crees que no me percaté de la doble intención? Ya ves que no es así.

—Me sorprendes. ¿Hacia dónde quieres ir?

—Al grano, Pancho. No tenemos mucho tiempo para divagar o relajarnos. ¿Tú crees que mi reelección sea posible?

—Ninguno de tus antecesores logró el control que tú estás ejerciendo en el país. Le has dado a la presidencia una nueva dimensión, y lo sabes.

—¿Recuerdas cómo recibí la banda tricolor? Hubo gritos, insultos, groserías de la oposición, dudas sobre la legitimidad de mi mandato. Ahora hay gobierno, en serio. Pero...

—Si quieres quedarte, debo decirte que nadie estaría más contento que yo.

—Quizá la idea me haya cruzado por la mente. Sin embargo, desconocemos cuál sería la reacción general. Los "sabios" hablarían mucho, los disidentes tendrían nuevas banderas y hasta la prensa chantajista contaría con armas de alto poder. Todo esto, querámoslo o no, haría un enorme daño a la imagen de estabilidad que necesitamos conservar de cara al futuro, al acuerdo comercial, a la supervivencia nacional.

—Entonces, ¿no quieres?

—No debo. Podría precipitar al vacío todo lo avanzado. Aunque, por otra parte, los del norte casi exigen mi permanencia en el poder, a fin de finiquitar nuestra negociación mercantil. Bush me habló directa y francamente del tema.

—¿Y qué le respondiste?

—Le señalé nuestras diferencias y los riesgos de una probable cruzada antirreeleccionista. Cruzada que puedo evitar, en parte, pero no por mucho tiempo. En realidad, me preocupa más la propia permanencia de George.

—¿Hay peligro de que lo desplacen?

—Sí. No le ha funcionado su política económica. En cambio, los demócratas tienen un buen proyecto en la materia y cuentan con un candidato carismático, el gobernador de Arkansas, Bill Clinton.

—¿Cuál es, entonces, el camino por seguir? —interroga Francisco, quien tiene la certeza de estar aproximándose al territorio deseado.

—En lo que respecta a nosotros, dejar que aflore el tópico para absorber las críticas y, al mismo tiempo, tapar las fugas más significativas. Después, volveremos a hablar.

—¿Sólo eso? ¿Estás seguro de que será suficiente?

—Las cosas toman su tiempo, Pancho. Mientras, debes prepararte para todo. Y ahora, cambiemos de tema: ¿qué diablos está ocurriendo con tus socios? ¿Cómo es posible que se divulguen asuntos tan delicados?

—Estoy averiguándolo. Aún no me repongo de la sorpresa. Sobre todo, a causa de la "mala leche" del columnista Smith.

—La lista publicada de las inversiones en cuestión es casi auténtica. Lo sabemos tú y yo. Si respondo directamente, corremos el riesgo de que nos exhiba, y resultaría peor denunciarlo, como me lo sugirió el ingenuo de Saúl Robles. Vamos a ver cuánto quieren ayudarnos en la Casa Blanca: ordené el envío de una nota de protesta. Es una buena oportunidad para medirlos.

—¿Y si Smith sigue divulgando esta clase de información? ¿Tendrá algún modo de comprobar sus denuncias?

—Seguramente. Vamos a intentar reclutarlo. No será fácil, desde luego, pero siempre hay modo. Por tu parte, ten más precaución y desconfía hasta de tu sombra. No sería extraño que, dadas las insinuaciones, tu despacho comenzara a rebosar de lambiscones y oportunistas. Son los peores.

—¿Emito alguna declaración?

—No, procuraremos que el asunto no trascienda. Si ofrecemos explicaciones, sólo habremos de dar publicidad a lo dicho por Smith. Ya hemos sufrido desagradables experiencias al respecto.

—La verdad es que nada tenemos que ocultar. Somos una familia exitosa y sin problemas económicos. ¿Es eso tan extraño?

—No lo entendería así la opinión pública. Mejor ni le movemos. Somos equitativos, solidarios. ¿Lo has olvidado tan pronto?

—Una última pregunta, César. ¿Tengo posibilidades reales de... o es sólo una estrategia tuya?

El primer mandatario frunce el ceño. Tiene la impresión de haber hablado con un fantasma. ¿Por qué el primogénito no capta al vuelo la situación? Estaba seguro de haber definido el asunto. Sin embargo...

—Mira, Pancho: el presidente de la República te ha dicho lo que debes hacer. ¿No es bastante?

—Por supuesto, César. Discúlpame, ¿quieres?

—No olvides, ni por un momento, que las decisiones las tomo yo. También en el futuro, si llegase el caso. ¿Necesito ser más explícito o es suficiente?

Francisco no se atreve a contestar. Asiente, nada más, con la cabeza.

En Cuatro Ciénegas, la hacienda familiar localizada al norte del territorio nacional, enclavada en pleno desierto, Francisco López del Castillo reúne a cuatro de los mayores inversionistas del país: Carlos Abenamar Ávila, consejero presidencial y empresario de brillante trayectoria; Humberto Sánchez Nadal, veterano dirigente de los patrones; Alberto del Valle, ex banquero y dueño de las industrias alimentarias; y Artemio Garcés Laparade, considerado por la revista *Forbes* como el dueño del capital más sólido de Latinoamérica. Es una mesa multimillonaria.

—Amigos míos —anuncia el anfitrión—, no les habrá ido mal en esta última temporada "de caza".

—Tampoco todo lo bien que hubiéramos querido —responde en seguida Del Valle—. El gobierno, don Francisco, cree que tenemos más disponibilidad de la que declaramos y no siempre podemos satisfacer sus ofertas.

—No seas ingrato, Alberto —interviene Abenamar—. Estás molesto porque te ganaron en la última subasta. La verdad es que no consideraste que enfrentarías competidores para recuperar tu querido Banco CIMER. Ni hablar.

—No fue así, pero no vine a quejarme. Sólo te aclaro, y no quiero entrar en detalle, que la asignación estaba previamente acordada. No tuve oportunidad. Busco ahora alguna compensación.

—Y la tendrá, se lo aseguro —enfatiza López del Castillo—. Es tiempo de efectuar ajustes graduales, los cuales habrán de consolidar a los empresarios audaces y nacionalistas, como ustedes.

—Eso me suena a discurso trillado, Francisco —ironiza Sánchez Nadal—. Es cierto que las perspectivas actuales son muy distintas de las existentes hace algunos años, pero nos falta el impulso definitivo. El Acuerdo, creo yo, nos será favorable sólo si somos capaces de crecer sin lastres excesivos —como los créditos a oscuras en beneficio de administradores de dudosa solvencia—, ni apuros sexenales.

—¿Qué tipo de apremios, Humberto?

—Entremos en materia, entonces. Nos preocupan, y creo interpretar el sentir de todos los aquí reunidos, los inminentes cambios políticos. Por una parte, el país está en paz y tenemos a un buen conductor en Palacio. Pero, por la otra, ya comenzamos a detectar algunos síntomas de inestabilidad como consecuencia de la "abundancia" prevista para el futuro inmediato. Todos quieren la mejor tajada del pastel.

—Estoy de acuerdo con usted —interviene Garcés—. Nos agradaría saber que tenemos no sólo garantías, sino también tiempo para hacer más sólida nuestra participación en la vida económica. La excesiva oferta gubernamental, en lo que se refiere a la desincorporación de sus empresas, se ha volcado en unos cuantos inversionistas con capacidad de compra. Y esto nos obliga a realizar elecciones, a veces sin la debida ponderación, para poder cubrir nuestros compromisos con la administración pública.

—Artemio ha tocado un asunto medular —continúa Sánchez Nadal—. Hay disponibilidades, pero no las suficientes para entrar de lleno en la competencia con los poderosos consorcios transnacionales. Y en este estira y afloja, se nos están adelantando los de afuera.

—Repito, señores —insiste López del Castillo—, que cada uno de ustedes ha sido privilegiado por la apertura económica. Tienen más, mucho más, que antes. En todo caso, lo importante es continuar el ascenso.

—A eso íbamos, Francisco —retoma Sánchez Nadal—. Es urgente definir la continuidad de los mecanismos actuales. En pocas palabras, para ser francos, no podemos asumir riesgos si desconocemos hasta dónde llegará el trayecto del presidente López Arenas. Él ha sido el diseñador de la sorprendente recuperación financiera del país. Y sería muy lamentable que nos saliéramos del curso establecido por cuestiones de baja política.

—No será así, Humberto. Como sabes, César está empeñado en llevar a buen término sus reformas. De hecho, la reestructuración de la propiedad rural y la drástica reducción de las llamadas prerrogativas del ocio, que tanto han dañado a la planta productiva, son aspectos del mismo proyecto histórico.

—Bien, pero ¿qué sucederá después? Ten en cuenta que, a lo largo de los diferentes sexenios, hemos atestiguado cómo, en cuestión de días, los vaivenes políticos

142

anulan las buenas intenciones o, de plano, conducen a dar marcha atrás... como ocurrió con la desdichada estatización de los bancos.

—Pero los resultados no fueron perjudiciales para ustedes —enfatiza López del Castillo—. Ganaron tres veces: primero, al proteger sus capitales en el exterior; luego, al ser indemnizados por la nacionalización y, finalmente, con la reprivatización en términos de oferta. Tres oportunidades para acrecentar sus fortunas sin mayores riesgos.

—Coincido sólo en parte con su tesis —interviene Garcés—. El peligro consistió en la tremenda presión ejercida sobre nosotros. No sabíamos, a ciencia cierta, lo que vendría. Calculamos, con audacia, que el gobierno no podría sostener de manera indefinida su postura estatizadora. Y esperamos. Como usted comprenderá, no es posible permanecer, otra vez, a la expectativa. Menos ahora, cuando la competencia nos obliga a ampliar posibilidades y diversificar inversiones.

—En resumen, Francisco —puntualiza Sánchez Nadal—, no nos conviene un clima de inestabilidad política como el que se crea cada fin de sexenio. Estamos por la continuidad garantizada. Y ésta sólo puede dárnosla César.

—Imaginé a dónde querían llegar. Son muy hábiles —afirma don Francisco, cuya sonrisa es fresca y abundante.

—Más bien, intuimos para qué nos citaste —aclara Sánchez Nadal—. No somos aprendices, querido amigo. Ésta es una cuestión de intereses mutuos que involucra muchos vericuetos.

—Vamos a intentar solventarlos, ¿no? —propone Abenamar—. Es el momento adecuado.

—Entonces, ¿coincidimos? —interroga, complacido, López del Castillo.

Alberto Paz, el más acaudalado de los políticos-empresarios, está convencido de que de la reunión de Cuatro Ciénegas, para la que no recibió invitación directa aunque sí fue avisado con oportunidad, se podrán derivar conclusiones definitivas. Luego de enterarse de los velados acuerdos ahí tomados, su apuesta sólo puede ser una.

Meses antes, gracias a su olfato natural, había logrado consolidarse como banquero al ganar, mediante sus socios, buena parte de las subastas. Tenía intereses en, por lo menos, la mitad de las instituciones crediticias puestas a la venta por el Estado. Y ni siquiera había trascendido su intervención. Además, en su grupo figuraban algunos ex presidentes y varias de las firmas más cotizadas en los medios informativos.

—Ni hablar —comunica a su lugarteniente, Teodoro González Avilés—. Las cosas pintan como deseábamos. López Arenas está ideando alguna fórmula para permanecer en el poder. Y nosotros no estaremos al margen.

—¿No será una maniobra para despistar a incautos?

—Imposible. Al presidente no le gusta jugar con fuego y hay demasiados intereses de por medio: los gringos, la "lana", la Iglesia y hasta la nueva clase política. Nos tiene a todos en su redil. Quien lo entienda así, avanzará, pero ¡pobre de aquel que se equivoque!

—Señor, ¿y cuál es el papel que nos tocará desempeñar? Porque supongo que no permaneceremos con los brazos cruzados.

—No es mi estilo, Teodoro. Por principio de cuentas, debemos cerrar el círculo con los inversionistas; después, asegurarnos de que en el ejército, donde tenemos tantos buenos amigos, no exista el menor brote de impaciencia. De la tranquilidad depende nuestro éxito. Porque la suerte, no me queda la menor duda, está echada.

—Nuestros contactos...

—Por ahora hay que mantenerlos con alfalfa suficiente, pero sin desbordar sus ambiciones. Ya sabes cómo se las gastan en cuanto quieren asomar la cabeza. Démosles confianza... sin excedernos en la información.

En el seno del Congreso Permanente, cuyo funcionamiento tiene lugar durante los meses en que no hay sesiones ordinarias de las cámaras, una "sugerencia" de la fracción parlamentaria de la Izquierda Unida conmueve al recinto:

—Sin sufragio efectivo —explica Graciano Rodríguez—, la ciudadanía no tiene más sostén que el principio inamovible de la No Reelección. Y mucho nos preocupa, en la presente coyuntura, la desbordada actividad presidencial, tendiente a la propia permanencia y el inmovilismo de las demás fuerzas políticas. Ahora, cuando se han modificado los conceptos de soberanía e independencia para darle forma y contenido a la sumisión integracionista, no resulta extraño que la supuesta estabilidad esté preñada de continuismo.

Los diputados del oficialista PIR, sorprendidos, buscan en el rostro de su líder, Graciliano Morales Horcasitas, alguna indicación. Pero éste parece carterista descubierto *in fraganti*, con la mirada fija en el techo del edificio.

—No es oficioso —continúa Rodríguez—, sino más bien imperativo de justicia revolucionaria, extender una solicitud formal a esta soberanía para que revalide las tesis sobre la No Reelección, aquéllas por las cuales tanta sangre derramaron nuestros antepasados, y se garantice así el libre cauce democrático por encima de ambiciones circunstanciales y deseos inconfesables.

También los miembros del derechista PAR quedan boquiabiertos. Hasta ese momento, sólo los rumores y los consabidos chistes de cantina, tan comunes en los prolegómenos de la sucesión presidencial, se habían ocupado del tema recurrente. Elevarlo al foro camaral era insólito. El diputado parista, Abelardo Valtierra, toma la palabra:

—Consideramos que el principio de la No Reelección no está en duda, ni en peligro su permanencia dentro de la vida institucional del país. Si los colegas de la izquierda tienen algo que agregar al respecto, habría que extender la discusión y no archivarla, como se ha hecho con tantas otras cuestiones. Por lo pronto, carecemos de elementos para celebrar un juicio sobre el particular, salvo que se trate de un pronunciamiento simbólico al que, por supuesto, nos adherimos.

Rodríguez utiliza la réplica para puntualizar, ante la creciente desazón de los pirristas, una idea toral:

—Con el pretexto del inminente Acuerdo Comercial con Estados Unidos, el cual hemos impugnado hasta el cansancio, se pretende proyectar el lapso obligado para la concreción de las negociaciones a los tiempos políticos. Sólo así, según ha trascendido, podría asegurarse la puesta en vigor del convenio mercantil más allá del sexenio actual. Y esto, señores, significaría una tremenda regresión histórica que no podemos permitir.

Para ganar tiempo, mientras el líder Morales Horcasitas abandona el Salón de Deliberaciones en busca de un teléfono o quizá sólo de aire fresco, los representantes de los partidos comparsas, a petición expresa de los mayoritarios, ocupan la tribuna. Con recovecos, cada uno apoya la validez del principio en cuestión, aunque manifestando el carácter inoportuno de la propuesta izquierdista.

—No es necesario —expresa Víctor Aguilera, del Frente Democrático Revolucionario (FDR)— agregar un pie explicativo a la imagen de lo evidente. La No Reelección vive en todos los espíritus y vibra frente al recuerdo del martirio. Está aquí y no tenemos que repetirlo a cada instante.

Tras retornar al recinto, Morales Horcasitas instruye a Angustias Sáenz para que exponga el punto de vista de los institucionales. Y la dama, docta en materia lingüística, no se aparta de la línea tradicional:

—Reiterar lo obvio resulta tan insustancial como inútil. Que sepamos, y esto lo digo porque ignoramos si los compañeros de la IU tienen la intención de presentar alguna propuesta en concreto, este Congreso no ha recibido ninguna iniciativa para reformar los artículos que amparan el principio de No Reelección. Por ello, el debate sugerido carece de fundamento y sólo demuestra la pobreza de la disidencia izquierdista que, a falta de gestiones constructivas, prefiere abonar su camino con las habituales tortuosidades que únicamente distraen la buena marcha de este cuerpo colegiado.

Pedro Dávalos, de la IU, solicita entonces la palabra:

—Señores: el pronunciamiento sobre la vigencia de la No Reelección ya se ha producido y no se requiere de formalización alguna. Ninguno de los colegas que han comparecido en esta ocasión, pese a sus diferencias ideológicas, se inclina en favor de la reelección. Esto otorga suficiente sustento a nuestra petición inicial. Agradecemos a las fracciones políticas aquí representadas la coincidencia con la tesis medular por nosotros defendida.

El cerrojazo echa las campanas al vuelo. Y los periódicos vespertinos conceden amplia cobertura a la pequeña tormenta.

"Sin Discusión, Impera la No Reelección", sostiene a ocho columnas *La Extra*, explayándose sobre los apuros del líder Morales Horcasitas, la confusión inicial de los pirristas y el auxilio prestado por los esquiroles.

En entrevista aparte, el abogado Antonio Bustamante, eminente constitucionalista, parece recrearse:

—Cuando el río suena... el debate comienza.

—Don Fulgencio —la voz del presidente suena respetuosa pero inquisitiva—, ¿qué le parece el escandalito en el legislativo? Supongo que estará usted enterado.

—Fue una arremetida desleal, como tantas otras, señor presidente. No había motivo aparente —responde, cohibido, el ministro del Interior.

—Usted sabe mucho, don Fulgencio. ¿Cómo es posible que no lo haya previsto?

—Creí que la ofensiva se desplegaría de otro modo. En relación con el tema electoral, por ejemplo, al que ahora no parecieron dar importancia.

—El golpe, seco, fue contra mí. Me ponen en un predicamento: si continúo recorriendo el país, dirán que mi supuesta ''campaña'' tiene un fin distinto de aquel de la reestructuración partidista. Y si me quedo quieto, señalarán que intento serenar las aguas. Definitivamente, van a tener tema para varias semanas.

—Son agitadores, señor. Además, el discurso de la diputada Sáenz los puso en evidencia: parecen plañideras, mercenarios del dolor ajeno.

—Pero saben dónde ponen la bala, don Fulgencio. Sobre lo dicho por doña Angustias, ¿usted cree de veras que nos favoreció?

—No se comprometió a nada. Simplemente subrayó que no existe, por ahora, ninguna intención reformadora en ese sentido.

—El ''por ahora'' es de usted. En la tribuna quedó claro que los izquierdistas se llevaron las palmas, gracias a la repulsa general. Si decidiéramos reabrir la polémica, ya estaríamos en desventaja.

—Pero, señor... no habíamos hablado sobre esta cuestión tan espinosa. Nunca pensé...

—Ni tiene por qué meditar más de la cuenta. Sólo trato de explicar que nos superaron. Sin necesidad de efectuar una votación, obtuvieron lo que querían. Y eso constituye un precedente nada agradable para nuestra causa.

—Entiendo, señor. Sin embargo, estoy seguro de que este asunto no dará para más.

—No, don Fulgencio. La rebatinga apenas empieza. Será el arma permanente de chantaje para intentar desacreditar cualquier acción política que emprendamos. Y no me refiero sólo a las decisiones internas, sino también a las relacionadas con el panorama exterior. ¿Cree usted que será muy agradable continuar con nuestro periplo internacional en busca de inversiones y simpatías, mientras en nuestro suelo se discute el tema de la reelección, que equivale a sentarme en el banquillo de los acusados?

—Tiene usted razón, señor. No podemos permitirlo. Lo más importante es preservar su imagen, fortalecerla.

—Bien. Vaya preparando un breve comunicado donde se desacredite, de una vez por todas, cualquier insinuación respecto al tópico en cuestión. Que no quede duda alguna sobre nuestro respeto a las instituciones y nuestro apego a la ley.

—¿Dejamos la responsabilidad a Morales Horcasitas?

—No, porque sería tanto como extender otra invitación para el debate. Definitivamente, me parece que usted debe dar la cara.

—Así será, señor presidente.

El Ministerio del Interior citó a la prensa, advirtiendo que se proporcionaría "una información trascendental". Los murmullos y las especulaciones dan lugar a una curiosidad desmedida.

—Una de dos: Ramírez Casas renuncia o anuncia la probable reelección de López Arenas.

—¡No, hombre! Todavía no es tiempo. Quizá se trate de otra reforma electoral.

—Si es así, no dudes de que se orientará hacia la permanencia. Lo que no sabemos es si, desde ahora, tendremos vía libre...

El profesor Juan Manuel Gómez, secretario privado del ministro, trata vanamente de distraer a los periodistas:

—La información será importante, pero no es lo que ustedes esperan escuchar. Se trata, nada más, de mera rutina.

—¿Y para eso nos llamaron con tanta urgencia?

—Aguarden. Ya no falta mucho.

—¿Ramírez Casas dialogará personalmente con los medios?

—Más bien, señores, dará lectura a un documento. Ignoro si después habrá una sesión de preguntas y respuestas. Eso lo resolverá el señor secretario.

En punto de las tres de la tarde, el ministro aparece en el Salón Dorado. Parsimonioso, ocupa el lugar ubicado debajo de un óleo con el retrato del presidente López Arenas y saluda a los reporteros con una leve inclinación de cabeza.

—Señores —comienza su alocución—: sean ustedes bienvenidos. Voy a distraerlos sólo unos cuantos segundos para manifestarles la postura del gobierno acerca de las diversas opiniones expresadas sobre la posible repetición de funcionarios en puestos de elección popular. Al respecto, me permito informarles que no se propondrá modificación alguna a la Constitución en esta materia, por ahora.

Algunos precipitados salen en busca del teléfono; otros, más avezados, tratan de adivinar qué hay detrás del tono solemne empleado por Ramírez Casas.

—En nuestro país —explica el secretario— no existe de parte del Ejecutivo ni de los partidos políticos ninguna intención que tienda a modificar este principio de nuestra Carta Magna. El presidente de la República es muy respetuoso del mandato supremo de la ley. Eso es todo, señores.

—Señor ministro —pregunta el representante de Radio Popular—, ¿esta postura es definitiva o puede haber cambios?

—Sin comentarios.

—Usted expresó que "por ahora". ¿Esto no nos lleva a un mañana con diferente perspectiva?

—No quiera fabricar sus propias noticias, compañero. Creo haber sido muy claro.

—Por favor, señor. Sáquenos de esta confusión, a fin de no cometer imprudencias. ¿Es definitivo?

—No habrá lugar a ninguna variante. El presidente López Arenas terminará su mandato en la fecha prevista.

—Y jamás podrá volver a reelegirse, ¿ni siquiera una vez transcurrido cierto periodo? —interroga el columnista Francisco Camargo.

—Buenas tardes, señores. Gracias por su presencia.

Las especulaciones aumentan. La prensa, confundida, ventila sus propias interpretaciones: "La Reelección, más Adelante". Ciertos analistas, discretos pero afanosos, intentan cuadrar las declaraciones del ministro del Interior con el desatado e irrefrenable rumor.

"Hay que dar la cara", medita el presidente López Arenas, luego de haber escuchado el informe de Ramírez Casas. "Esperan contundencia. La tendrán", continúa cavilando.

Llama a su secretario privado, Roberto Aceves.

—A sus órdenes, señor presidente.

—¿Están aquí los colegas de la prensa? Dígales que en diez minutos haré una breve declaración. No hace falta, creo yo, explicar los motivos. Una vez más debo liarme con las fieras para rescatar a quienes no pudieron domarlas.

Ramírez Casas, incómodo, desvía la mirada.

—Usted me acompañará, don Fulgencio.

—Señor, yo creí que lo había interpretado...

El presidente escribe un par de notas en una tarjeta y entra en el Salón de Prensa.

—Buenas tardes, amigos míos. Ha llegado el momento de dar por acabada la especulación. Yo, el presidente César López Arenas no promoveré iniciativa alguna con la pretensión de reelegirme. El principio revolucionario de la No Reelección es inviolable y así permanecerá. Nada haré ni insinuaré en otro sentido. La renovación del Poder Ejecutivo se hará en el tiempo y las circunstancias que prevé nuestra Carta Magna. Muchas gracias.

7

—Hay claveles en Palacio.

Sebastián Ganzúa, secretario privado del presidente De la Tijera, solía recurrir a la romántica clave para indicarle a su amigo César López Arenas, secretario de Planeación, que tendrían algunas horas libres mientras el "patrón" se ocupaba de ciertos menesteres. Durante varios meses, sobre todo en vísperas del destape, ambos funcionarios transitaron por las calles de la capital, dirigiéndose muchas veces a un espacioso departamento ubicado en las inmediaciones del hotel Senda Imperial. Ahí les aguardaba la infaltable compañía femenina propia para el relajamiento... pero en ocasiones preferían hablar, ausentarse, dormir.

—César, cuando llegues... no vayas a negar a tus amigos.

—Jamás, Sebastián. Menos a ti que tanto te debo. De no ser por tu intervención, muchas de las intrigas de Díaz Torquemada habrían dado en el blanco. No me explico por qué don Adolfo le deja el campo libre.

—Mejor dicho: no quieres aceptar las verdaderas razones. Juan está muy bien informado, más de lo que debiera.

—Pero un presidente, Sebastián, cuando ejerce de verdad el poder no puede admitir chantajes de ningún género. ¿Qué haría Díaz Torquemada si don Adolfo aplicara todo el rigor? Rendirse, nada más...

—Pronto te tocará el turno, César. Entonces podrás corregir lo que ahora te parece mal.

El tono de Ganzúa parecía un reproche. En realidad, admiraba profundamente a De la Tijera y le dolía cualquier crítica que se formulara en su contra, aunque proviniese del mejor discípulo del presidente. Eran dardos que se le clavaban en el espíritu.

—No quise ofender al primer mandatario. Lo estimo mucho, de verdad, pero no soporto a los sujetos abusivos, desleales y traidores. El señor presidente tiene defectos, ¡caray, es humano!; sin embargo, conmueve la entrega con que sirve al país.

—Nunca pensé otra cosa de ti, César. En fin, la meta está cerca.

Hermanados, César y Sebastián recorrieron el último trayecto de aquel régimen bajo la tremenda presión de sus adversarios. Uno de ellos, Diego de la Maza, pretendió enemistarlos mediante el uso de la intriga y la calumnia, pero fue descubierto. Había intentado alertar a las esposas de ambos sobre ciertas infidelidades que supuestamente sólo eran conocidas por uno respecto del otro. Nada serio, en realidad, pero la abyección sirvió para afianzar los nexos y aislar a los infames.

Ahora, años después, el sexenio de López Arenas se encamina hacia su fase final. Las presiones son de otro género, pero igualmente asfixiantes. La lealtad de los colaboradores del presidente, puesta a prueba por éste todos los días con obsesivo ahínco, merma frente a las ambiciones personales. Y el primer mandatario necesita cuidarse de cada movimiento.

—Sebastián, está por llegar la hora amarga. ¡Cuántas ingratitudes! Hasta los amigos se olvidan de sus orígenes para escalar por su cuenta. El presidente les importa sólo en función de la última de sus decisiones. ¡Y yo que creía tener el control!

—Lo tienes, César. Sucede, nada más, que es imposible mantener a raya a tantos desbordados.

154

—En fin, vamos a definir algunas cosas. Por ejemplo, tu propio caso, Sebastián.

A Ganzúa casi se le paraliza el corazón. También albergaba la esperanza de que fuera él quien recibiera el relevo ambicionado. No había querido, por ello, ser designado candidato a la gobernatura de su provincia natal, Mayalán. "Apostó a la grande", comentaban sus allegados.

—Caray, César. Me agarras en frío. Mi único deseo es servirte, despojado de intereses personales.

—Lo sé. Por eso recurro a ti en un momento tan delicado. Necesito que asumas la presidencia... del partido. Valdés de Rodas no puede continuar en el aparador político, porque comienza a manejar los hilos como si fueran propios. Además, es menester que lo incorpore al juego... para cumplir con los requisitos.

—¡Ah! —suspira Ganzúa—. Se trata de una gran responsabilidad. Pero, si me hago cargo de ella, el que se quedaría en la orilla sería yo...

—Ten en cuenta que, desde ahí, serás quien impulse y coordine la campaña del futuro presidente. Y garantizamos con ello tu futuro inmediato. Lo mereces.

—¿Y si me dejas intentar otra posibilidad? Podría ocuparme del partido a través de un incondicional. Y así... la baraja sería más amplia y manejable...

—No estaría mal. Pero, como amigo te digo que no albergues falsas esperanzas. Me dolería mucho lastimarte...

La ilusión se había esfumado. El porvenir sólo le deparaba trabajo y más trabajo. Ganzúa era dueño de uno de los currículos más amplios de la administración pública con apenas doce años de servicio, prestado siempre en cargos de primera línea.

—¿Cuándo comenzamos?

—Lo más pronto posible. Pedí a Daniel Valdés de Rodas que se prepare y convoque a una Asamblea General. Él sabe lo que esto significa. Además, no quedará al aire ni mucho menos. Lo necesito, te repito, para estimular la competencia en la recta final.

Ganzúa, muy perspicaz, se dio cuenta de que Valdés de Rodas estaba también fuera de la carrera. El presidente le concedía el carácter de competidor con el objetivo exclusivo de acicatear al líder de la justa. Era evidente.

—¿Está enterado Ernesto Ulibarri?

Observa que su amigo César no puede reprimir cierto gesto de rechazo. "¿Tampoco Ernesto? Él es el aspirante natural, el más cercano y de mayores méritos. ¿En quién estará pensando? No cabe duda de que César ha efectuado una elección sorpresiva", reflexiona el secretario.

—Aún no. Por lo menos, yo no le he informado. Quizá Daniel le haya adelantado algo. Son muy afines... o lo eran.

Por supuesto, Ganzúa no ignoraba la estrecha relación entre el jerarca del partido y el gobernador de la metrópoli, establecida desde su época estudiantil. Pero tampoco desconocía los celos que habían aflorado de manera natural entre ambos cuando comenzaron a sentirse rivales.

—A últimas fechas se han distanciado un poco. Buscan lo mismo, ¿no? Es comprensible, entonces, que intenten navegar con sus propios medios.

—Las decisiones de hoy están ligadas al futuro de ambos. De hecho, pretendo que Valdés de Rodas se instale en un nuevo ministerio, el de Equidad. No conviene que Francisco, mi hermano, siga desgastándose. Y Ernesto... podría ocuparse de la política interior. Es la última llamada.

—¿Y Ramírez Casas?

—El hombre merece un trato digno. Ha sido un pilar de este sistema... pero los años no pasan en balde. Sin marginarlo del todo, le pediremos espacios.

—¿Qué modificarías en el partido, Daniel?

La puesta al día, tensa y larga, apenas le permite a Sebastián Ganzúa centrar su atención en la política, numen de su nueva responsabilidad... tras bambalinas. Daniel Valdés de Rodas había dedicado la mayor parte de las últimas jornadas a organizar los actos multitudinarios para enmarcar la ceremonia de transmisión.

—El principal problema que enfrentamos es el de la credibilidad. Un gran sector de la opinión pública nos considera responsables de todos los males. Y, pese a la labor del presidente, el prestigio del PIR no ha logrado aumentar.

—¿Ni con la recuperación de la mayor parte de las posiciones camarales?

—La propaganda de los intelectuales ha desviado el curso de los acontecimientos. Nuestra victoria, en este sentido, fue pírrica. Las sospechas, no obstante el cuidado que tuvimos en elevar el nivel del proceso electoral, nos colocan en desventaja frente a las próximas contiendas. Quieren vernos con las manos amarradas.

—Es relativo: la crisis nos obligará a extremar los esfuerzos, además de incrementar nuestras disponibilidades. Nada es gratis en la vida. ¿Por qué no coincide la indudable popularidad del presidente con una mejoría en la imagen del partido?

—El tema es complejo. López Arenas cumple, mientras nosotros efectuamos el "trabajo sucio". Nuestro pueblo no sabe votar: sólo así es explicable que en las zonas privilegiadas se concentren las voluntades en favor de la disidencia. ¿En qué otro país el empresario triunfador, repleto de billetes y negocios fructíferos, se atrevería a engrosar las filas de la oposición para enarbolar la bandera del cambio?

—Pero los yerros han sido de poca monta, si los comparamos con los éxitos. El partido tiene más de seis décadas en el poder y sus adversarios aún carecen de la convocatoria necesaria para desplazarlo. El reto es adaptarnos a los nuevos tiempos y florecer.

—Lo hemos intentado, Sebastián. Honestamente. La prueba de la efectividad del trabajo proselitista está en los resultados comiciales, cuestionados si quieres, pero contundentes. Y las inconformidades nunca rebasan el nivel de lo anecdótico.

—Me preocupan los cuadros. Los percibo desgastados y multiformes, vulnerables a la infiltración de extremismos indeseables. Aunque no vislumbro un cisma, tampoco lo descartaría dadas las circunstancias. Ya hay demasiados intereses erosionando las raíces corporativistas... Esto, por supuesto, que quede entre nosotros.

—En todo ello debe repararse durante la selección del candidato presidencial. Una nominación desafortunada podría llevarnos a la catástrofe, posibilidad a la que tanto nos acercamos en 1988.

—Antes, diría yo, debemos ensayar otro estilo. ¿Sería muy temerario presentar candidaturas comunes con la izquierda o la derecha, según el caso? Así, de un plumazo, robamos la estrategia a los disidentes y ampliamos el campo de la negociación.

—Los opositores serios jamás aceptarían, Sebastián. Están convencidos de que nuestra preocupación por el futuro es síntoma de debilidad estructural, a pesar del supuesto "triunfalismo" que exhibimos recientemente con motivo de la recuperación. Algunos, los menos, piensan que somos tan ajenos a la realidad que pretendemos haber avanzado... retrocediendo.

—¿Cómo es eso? Me parece que te has ofuscado, Daniel.

—Al contrario: estoy más lúcido que nunca. La campaña permanente de López Arenas, a través del Prone, no podrá tener el mismo efecto durante la contienda por la presidencia. Otros serán los dirigentes, otras las circunstancias. ¿Qué pasaría si el PAR y la IU decidieran presentarse como coalición?

—Por eso mismo, lograríamos adelantarnos mediante una apertura real del poder. Con elementos afines, íntegros e insospechables, aunque cada día escasean más los individuos con estas características, sería factible aglutinarnos, en unos casos con el PAR y en otros con la IU, para sostener nuestra imagen vencedora.

—Te repito que me parece poco realista tu propuesta. Incluso, inverosímil. Nunca accederán a ello quienes creen habernos tomado la medida. Y mucho menos si la iniciativa es nuestra.

—¿Acaso los paristas no se han inclinado siempre por la transformación gradual? Pues ésta sería una espléndida oportunidad para que dieran un paso gigantesco en ese sentido.

—¿Cuál sería el beneficio? ¿Un cogobierno que, al final, debilite nuestra postura?

—No precisamente. El objetivo es muy sencillo: limpiar de obstáculos el camino al futuro presidente y no correr riesgos similares a los del 88. Éste sería el precio para que pudieran compartir otros escenarios.

—¿Y las lealtades? ¿Permanecerían fieles al gobierno o a la oposición? No estoy de acuerdo Sebastián, discúlpame.

—No olvides el antecedente de Alta Calafia. Uno de los más reacios empresarios de la disidencia terminó siendo el más lopezarenista de los gobernadores. Cuando se alcanza alguna posición de poder, los intereses se modifican: nadie quiere estar al lado de los derrotados, menos aún cuando se es un triunfador.

—Se trata de un pronóstico con muchos matices. También pudiera suceder que los adversarios naturales aprovecharan cualquier transacción para impulsarse y arrebatarnos el verdadero control.

—Eso es imposible cuando los intereses de los distintos grupos de presión, el ejército, los empresarios, el clero, los estudiantes y hasta los partidos, apuntan a la conservación de la estabilidad nacional. En sentido estricto, dentro del sistema no hay cambio sino diferentes interpretaciones. ¿Qué pasó en Alta Calafia? Nada: en esa provincia nosotros somos la oposición y el gobierno aplica los proyectos políticos del régimen. No hay ruptura ni radicalización.

—Lo peligroso, en todo caso, es que los extremistas, muchos de los cuales están en la izquierda, pretendan el asalto al poder.

—También ellos han entendido que su supervivencia política depende de la capacidad de concertación. Por ejemplo, ¿hace cinco años habría sido concebible una coalición del PAR y la IU? El mero interrogante estaba fuera de lugar.

—De cualquier modo, no confiaría mucho. Ten por seguro que tienen delineados sus objetivos y éstos no coinciden con los nuestros.

—Es un duelo de estrategias. Ellos apuestan, nosotros manejamos el casino. Ésta es la diferencia. Y los vamos a dejar sembrados en la ruta... con unos cuantos "huesos".

—En fin. ¿Ya sabes quién va a reemplazarme?

—¿Qué te parece Arturo Dehesa, el gobernador de Salitrillo?

—Bueno, él es como tu hermano ¿no?

Las canchas de tenis de Los Laureles, residencia situada en medio del bosque urbano más grande del mundo, son sede de un torneo singular: el presidente López Arenas invitó a dos de sus más cercanos colaboradores, Ernesto J. Ulibarri y Sebastián Ganzúa, a compartir los saques con el nuncio papal, Eugenio Battaglia. En menor o mayor grado, los cuatro son aficionados al deporte blanco.

Antes de empuñar las raquetas, los jugadores aceptaron medir sus capacidades... atléticas. Al final de la carrera, López Arenas y Ganzúa conservaban el aire, mientras que Ulibarri y el alto prelado apenas podían llevarles el paso.

Ya instalados en la cancha, se disponen a jugar por parejas: el presidente y el nuncio, por una parte, y Ulibarri y Ganzúa, por la otra.

—Ganarle al presidente es un reto; pero pretender vencer al gobierno y al clero unidos no es más que una absoluta ingenuidad —bromea Ulibarri antes de iniciar el partido.

—¿Qué insinúas? ¿Que te dejas ganar por quedar bien? —pregunta Ganzúa.

—Vaya: no pretendo *handicap* alguno —señala el presidente—. ¿Lo necesita usted, excelencia?

—Hablan mucho, señores. Pero en la cancha no hay protocolos.

Resultan vencedores, como era de esperarse, el anfitrión y su huésped de honor. Las felicitaciones son efusivas, cordiales.

—A lo mejor dentro de unos años se les hace —ironiza el presidente—. Si todavía aceptan jugar conmigo, claro está.

Battaglia observa, flemático, cada gesto, cada inducción. Se esforzaba por aumentar sus conocimientos sobre aquella nación que sentía tan propia. Solía enfatizar que "la mitad de los ciudadanos del país odia a la otra mitad, sin que siquiera se conozcan. Las pasiones destruyen el entendimiento. Y me consta que después de las presentaciones los enemigos deciden zanjar sus diferencias. Es algo único".

Ulibarri, inteligente, fue uno de los más incansables promotores de la visita papal al territorio nacional, de cálido recuerdo popular. Los de la Izquierda Unida, torpes, manifestaron su oposición y encendieron con ello la animadversión de las mayorías católicas, conmovidas por la presencia del sumo pontífice.

—No hay duda, excelencia, que maneja usted muy bien su revés. Casi nos deja sembrados...

—Y no sólo en el tenis, señores. ¡Ja, ja, ja!

—Nada se le escapa, querido amigo —concede López Arenas—. Ya aprendió usted mucho por aquí y conoce más a nuestro pueblo que muchos de los políticos domésticos.

—Pero no hago política, señor presidente. Ésa se las dejo a los jacobinos.

—Bien, excelencia. ¿Cómo ve el panorama?

—Abierto, señor presidente. Y fresco. Hay demanda de sangre nueva y de mayor democracia. Por otra parte, existe la tranquilidad necesaria para seguir avanzando. Veo con optimismo el futuro.

—¿Es un sentimiento generalizado?

—Bueno, algunos obispos, a quienes ustedes conocen, insisten en alborotar el gallinero. Pero no afectan el buen entendimiento entre la Iglesia y el gobierno.

—De nuestra parte existe buena voluntad. Ha visto usted cómo, poco a poco, se han normalizado las relaciones. El reconocimiento a la personalidad jurídica de las iglesias, deseo largamente acariciado por ustedes, es un hecho.

—Un indudable acto de justicia, señor presidente. Sin embargo, los religiosos no pueden ser considerados ciudadanos de segunda. Todavía hay rezagos injustificados. Es curioso advertir que incluso en las naciones socialistas, en el periodo previo a la gran revolución del este, las leyes no excluían al clero como ocurría en el caso nuestro. Y estamos hablando de un país donde 95% de los habitantes son católicos. Absurdo, ¿no?

—En fin. ¿Nota usted alguna desazón en el Episcopado a la vista de la contienda proselitista?

—Le repito: hay de todo. Nada anormal, por otra parte. Desde luego, no estoy de acuerdo con los apasionamientos y extremismos expresados hace algunos años.

Battaglia hace una pausa y siente sobre él la mirada fija del jefe del gobierno. Ni pestañea.

—¿Recuerdan el caso de monseñor Acevedo? —interroga el prelado—. En cierta ocasión me dijo muy serio:

162

"Nuestro deber es preservar la paz; pero, ¿qué sucede cuando las revoluciones triunfan? Somos anatematizados, llamados traidores y oscurantistas, entre otras lindezas. Por eso debemos estar siempre atentos a los cambios sociales... para no ser rebasados por ellos".

El silencio es pesado. Ulibarri y Ganzúa optan por desviar la mirada, a fin de no encontrarse con el rostro del religioso. El presidente, en cambio, permanece atento.

—Este criterio —continúa— tiene validez cuando lo comparamos con las acusaciones históricas dirigidas contra la Iglesia. Por preservar el orden, ¿no se nos tildó de reaccionarios durante los movimientos emancipadores? Sin embargo, varios curas participaron en las luchas independentistas y esto no se nos acredita.

—Los excomulgaron, excelencia. No lo olvide.

—Pero se han reparado las equivocaciones. El mundo evoluciona y supera los vanos prejuicios. ¿Podría este país ser lo que es si hubiese mantenido su rencor contra las naciones que lo han invadido?

—Interesante tesis, monseñor. En el contexto actual, ¿cuál sería la expresión de la misma?

—Señor presidente: simpatizo con sus reformas económicas. Pero, también, desearía una mayor apertura democrática.

—Esto implica que tiene dudas acerca de los últimos procesos. Yo le pediría, excelencia, en obsequio a nuestro pulcro trato, que tuviera mayores elementos de juicio y no creyera tanto en las voces opositoras contaminantes.

—Analice usted la paradoja. No podemos participar en política y, sin embargo, es necesario, según me dice, que ampliemos nuestras perspectivas. En todo caso, señor, eso buscamos.

Monseñor Battaglia y Ulibarri salen juntos de la residencia oficial. Sebastián Ganzúa acompaña al presidente López Arenas a la alberca. El chapuzón se impone.

163

—¿Ya tienes una visión panorámica del partido, Sebastián?

—Sí. Lo que falta es prepararnos para el "destape". Las opiniones están divididas. Ulibarri ha sabido reclutar a buen número de gobernadores; pero presiento, sólo presiento, que las cosas no van por ahí.

—¿Por qué, Sebastián?

—Te preocupa la continuidad del proyecto gubernamental. Y Ernesto, a causa de tanto negociar, ha terminado cayendo en el juego de los más radicales. Su concepción sobre el pluralismo desbordó a nuestros ideólogos. ¿Seguía instrucciones?

—Actuó de *motu proprio*. Así lo hace cuando cree en la solidez de sus ideas, las cuales trata de ajustar después al momento político. No tiene un pelo de tonto.

—¿Lo ves? En el fondo marcha por su cuenta. Y no me gusta, la verdad.

—Te agradezco tu lealtad, Sebastián. Como siempre. Dime, ¿en quién has pensado? ¿Martínez Argüelles quizá?

—Estoy sopesando una versión que, según me insisten, salió de aquí. ¿Estoy mal?

—No, Sebastián. Vas muy bien. Por eso fue tan necesaria tu intervención en el partido. Tu sensibilidad se ha encargado de hacer lo demás. Dehesa, por su parte, es eficaz. ¿Cómo sientes lo de Pancho?

—Aún tiene sus bemoles. Por ejemplo, el sector campesino está muy agitado por Cocom y los profesionales nunca conciben oportunamente las decisiones que no tienen antecedentes.

—¿Y don Ramón?

—El viejo zorro ya sabe, César. No da un paso en falso jamás. Está con Pancho aunque, con toda prudencia, prefiere esperar.

—La prensa está inquieta.

—Más bien confundida. Percibe la factibilidad de tu permanencia y, al mismo tiempo, no sabe cómo interpretar el rechazo oficial a legislar sobre la reelección.

—Siempre se quedan a la cola. La columna de Robert Smith, no obstante, les abrió los ojos. Y luego se quejan de que deben enterarse de rebote de las "exclusivas" nacionales. ¡Estos reporteros nuestros!

—Me preocupan los patrones. Todavía no han dicho esta boca es mía.

—No te inquietes. Mi padre ya realizó su cabildeo y fue muy favorable, excepcional diría yo. Marchan a la segura, como siempre.

—Por ahí escuché que algunos empresarios buscan afiliarse, como grupo, al PAR.

—No son los que pesan, Sebastián. Ya sabes que abundan los ingenuos y los despistados. Por fortuna, los grandes tienen la mente despejada.

—Y los que no quieran alinearse, podrían ser aplastados por el fisco. Alguien dijo que no hay hombre rico a quien no pueda descubrírsele un negocio subterráneo y alguna liga con el gobierno. Cada uno tiene metida la mano en la bolsa de otro.

—Te has vuelto incisivo, Sebastián. En fin, dejemos a un lado las preocupaciones. ¿Cómo andamos de ganado bravo?

—Es el momento de recordar nuestra célebre clave: hay claveles en Palacio.

—Pero de otro tipo, Sebastián. De otro tipo.

Ernesto Ulibarri, flamante ministro del Interior, había escuchado también el rumor. Y hallaba en el runrún signos de verosimilitud. El presidente, su amigo de toda la vida, quería permanecer en la silla y cumplir así una ilusión juvenil, expresada años atrás por López Arenas a sus condiscípulos: "Una vez que me instale en Palacio, nadie me moverá de ahí. El poder es el gran objetivo de mi vida".

Ahora tenía la oportunidad de convertir su sueño en realidad.

"En el fondo, César no ha dejado de ser un niño inquieto. Estudió con tanto fervor que no disfrutó la infancia. Y ahora no logra desquitarse. Por eso es a veces tan temperamental e impulsivo para imponer su autoridad", reflexiona el gobernador de la gran capital.

Lo conocía bien. Más que su propio olfato para la política, el hilo conductor de López Arenas fue la necesidad espiritual de compensar a su padre, quien se había quedado a escasos milímetros de la presidencia por una "injusta" decisión de último minuto. César tenía grabada aquella tremenda frustración y el drama familiar resultante. El viejo don Francisco entró en una aguda depresión de la que sólo salió cuando vio renacer en sus hijos la esperanza.

"Me he preguntado qué será de César cuando deje la presidencia. Y me imagino que este pensamiento también está en su mente. Es muy joven todavía para pensar en jubilaciones", medita Ulibarri.

Es un día tranquilo, idóneo para atender la agenda. Pero antes de recibir a los directivos de la Asociación de la Prensa Libre, irrumpe en el despacho, con grandes aspavientos, el ministro de la Propiedad Rural, Manuel Cocom, su amigo... entre comillas.

—¿Pintan bien las cosas, Ernesto? —saluda Cocom con una inocultable sed de noticias. Habilidoso, se había mantenido cerca del favorito, pero sin comprometerse demasiado porque tenía expectativas propias.

—Se nos está escapando, Manuel. El presidente está trabajando en favor de su hermano. Y no es una aventura nada más. De buena fuente sé que la cúpula empresarial ya dio su aval. Ganzúa, por su parte, parece tener línea y maniobra.

—Pero... ¡sería tremendo! No lo creo, de veras.

—Desafortunadamente, por ahí va la cosa. Desde luego, habrá reacciones y protestas. Los campesinos, por ejemplo, ¿aceptarán una imposición de este tipo?

Formula la pregunta con mucho cuidado, a sabiendas de que Cocom no acostumbra dejar cabos sueltos. Dos años atrás, había logrado interesar a don Francisco, el padre, en la integración de una sociedad, muy resguardada, destinada al manejo y control de numerosas agroindustrias, para las cuales adquirían antiguos terrenos ejidales mediante el despojo de los verdaderos propietarios, a quienes entregaban una indemnización mínima. La mecánica la conocía bien Ulibarri.

—Bueno —acierta a responder Cocom—, depende del trabajo que se haga. Las inquietudes fomentan los arreglos. Y yo nunca doy salto sin huarache.

—Pero podrían disgustarse si su líder, es decir tú, les explicara el verdadero móvil.

—Soy fiel al señor presidente, Ernesto. No me atrevería...

—¿Y de cuándo acá te volviste tan escrupuloso? La lealtad comienza con nosotros mismos. Y López Arenas, nuestro amigo, está a punto de equivocarse. Nuestro deber es prevenirlo.

Ha llegado el turno de que Cocom mida a su confidente. Ulibarri es su apoyo, su "palanca". Y sólo le abandonaría cuando ya no necesitara más de él. Cuestión de reglas inexorables.

—¿No hay otra opción, Ernesto?

—Que no te pierda la ambición, Manuel. Sé adónde conduce tu insinuación, no soy ingenuo. Debo decirte que si mis posibilidades menguan, las tuyas nunca han existido. A todos, es verdad, nos dio juego el presidente... pero para probarnos. Sólo para eso. Y en estos territorios las calificaciones suelen ser adversas.

—Te equivocas, Ernesto. Nunca tuve tal intención. Han sido muchos los años de intenso trabajo. Quizá me gustaría una pausa.

—¡Ja! Hablas en falso, Manuel. Nos conocemos bien: tu apuesta es la mía. Muévele, con mucho cuidado pero ya.

—¿Y para qué?

—Tú eres el estratega de la agitación y ahora me interrogas. Si el clima social cambia y amenaza la tormenta... la solución tendrá que ser, muy a pesar de César, política. Y en ese caso... no tengo que decirte más.

—Nunca te escuché hablar así.

—Ahora la pelea es por "la grande". Y tiene otra dimensión.

Manuel Cocom no pierde un minuto. Pide y obtiene una cita con don Francisco, a quien muchos apodan "la reina madre" por la influencia que ejerce sobre sus hijos.

—Don Francisco: estoy angustiado, verdaderamente afligido. Usted sabe que soy leal hasta la muerte...

—Termina, muchacho. Vivimos, todos, instantes de gran tensión y es natural que seamos impacientes.

—Charlé, hace un rato, con Ernesto Ulibarri. ¿Sabe usted qué me pidió?

—No me lo imagino siquiera. Aunque...

—Quiere ser presidente y ya percibió que las cosas no apuntan hacia él.

—Pero, ¿por qué? Tiene muchas posibilidades todavía. Su talento no está en duda.

—Sólo que ahora quiere jugar sucio. Piensa que si hay conflictos agrarios serios... el presidente necesitará tomar una decisión "política" para el futuro. Por supuesto, semejante decisión llevaría su nombre.

—¡Sería una traición incalificable! Ernesto no es así. Al contrario: él merece nuestra confianza porque se la ha ganado a través de muchos años. Nunca hubo motivos para...

—Pero la visión de la silla transforma los espíritus, don Francisco. Y tal es el penoso caso de Ulibarri.

—Concretamente, ¿qué se propone?

—Desestabilizar al campo, promover invasiones, ¡qué sé yo! Y el ejecutor sería quien le habla. Por supuesto, no puedo aceptarlo y vine a pedirle su consejo.

—Gracias, muchacho. Sólo te pido que te mantengas firme y aguantes el temporal. Todo caerá por su propio peso.

—Un último servicio: ¿le dirá usted a Pancho, su hijo, cuál ha sido mi actitud?

—Por supuesto, Manuel —y el viejo guiña al ministro.

Emiliano Guadalupe Bautista, guía moral de la Izquierda Unida, dio instrucciones a la ayudantía para que mantuviera abiertas las puertas de su residencia en espera de un visitante "muy distinguido". Minutos más tarde, el New Yorker último modelo de Ernesto J. Ulibarri traspasa el umbral. El alto funcionario no quería ser visto y tanto la calle como el jardín quedaron libres de curiosos, periodistas y políticos, gracias al ardid de una conferencia de prensa programada en la oficina particular del dirigente opositor.

—Ernesto, ¿por qué tanta prisa?

—La decisión está a punto de tomarse. El presidente no me ha dicho nada, pero tengo motivos para concluir que ha elegido a su hermano Francisco.

—¡Lo sabía, Ernesto! Esto, por supuesto, me favorece. Nuestro pueblo rechaza a los repetidores y la candidatura de Pancho no ocultaría las verdaderas intenciones del presidente: perpetuarse.

—Quizá, Emiliano. Te percatarás que quedo al aire, entre dos fuegos.

—Y vienes a pasarnos la factura, ¿no?

—No lo tomes así. Simplemente trato de sobrevivir.

—López Arenas te garantizará un sitio en el próximo gabinete... si se sale con la suya.

—No voy a esperar tanto. Por eso vine a verte. Sabes que, de llegar yo a la presidencia, la pluralidad se daría de manera natural. Incluso levantaríamos el muro que aísla a la izquierda, para propiciar una libre competencia democrática. Sería el punto final y el arranque de un nuevo estilo de gobierno.

—He escuchado otras veces esas palabras. Además, la reelección disfrazada nos abre horizontes. Si logro convocar a los paristas y convencerlos de presentar una candidatura común... podríamos ganar.

—López Arenas no soltaría el poder tan fácilmente. Tiene en sus manos todo el control y no lo cedería por medio de una simple elección. Todavía no están dadas las condiciones para una victoria opositora en esos niveles. El avance, en este sentido, ha sido mínimo. Lo que sugiero, en cambio, tiene viabilidad.

—Pero c^ cuestión del presidente y del PIR. ¿Qué papel desempeñaríamos nosotros?

—El de movilizar a las masas. Ya hablé con Cocom...

—¡Puf! Te va a dar machetazo a caballo de espadas. Dado su historial, no confiaría en él.

—También es ambicioso y sabe qué le conviene. Lo interesante es que puede crearse un clima de alboroto, artificial si quieres, para sorprender al presidente y obligarlo, incluso, a rectificar. Sería un acto muy audaz, pero no queda otro remedio.

—Propones que la oposición favorezca, mediante sus presiones, la candidatura pirrista. Ni en mis pesadillas más escalofriantes podría concebir semejante cosa. ¡Y lo que nos falta por ver!

—Es tiempo de cambios. Además, no será extraño para ustedes agitar el caldero. ¿Qué me dices?

—Bueno, no haremos nada nuevo. Convocaremos diversas manifestaciones para exhibir la maniobra lopezarenista. Y no por hacerte un servicio, sino porque ésa es una de nuestras convicciones más arraigadas.

—¿Y si van más allá? Me refiero a tomas de alcaldías, bloqueos, etcétera.

—Puede ser. Conque a la larga te convertiste en disidente. Era de esperarse. Por supuesto, contaremos con auxilios suficientes.

—Dalo por hecho. Eso sí: actúa con el mayor sigilo.

Por órdenes superiores, el procurador Modesto Blanco Verduzco reúne y conserva en su poder los expedientes judiciales de los principales adversarios políticos del primer mandatario, entre los cuales están incluidos desde los líderes de la oposición hasta sus propios colaboradores, pasando por los críticos más reacios. Basta con interpretar unilateralmente la ley, para tipificar delitos y comprometerlos. La táctica de atemorizar resulta eficaz.

—¿Modesto? ¿Tiene a mano la documentación sobre los ilícitos atribuidos a Cocom en Mayalán?

—Sí, señor presidente. Incluso la copia de la auditoría que usted ordenó archivar y mantener a buen resguardo.

—Tráigamela enseguida. Voy a pedirle que vigile al ministro, con prudencia y sin que él se entere. Tengo motivos para dudar de sus acciones.

—Así se hará, señor.

—Blanco Verduzco queda intrigado. ¿Qué había sucedido entre bambalinas que pudiera señalar el final político de Cocom, un hombre de extraordinaria capacidad para amoldarse? Revisa el grueso legajo.

"No le ha faltado cometer ningún delito. Vaya, es responsable de estupros. Ni duda cabe: un político a la antigua", medita el procurador.

Ordena que preparen su automóvil para trasladarse a Los Laureles. Y, a punto de marcharse, suena el teléfono.

—Aquí Modesto Blanco, a sus órdenes.

—Te habla Juan Díaz Torquemada, para informarte que la agitación en el gremio magisterial es intolerable, debido a la infiltración de elementos izquierdistas que no buscan negociar sino ponernos contra la pared. Los miembros de la Sección Uno del sindicato secuestraron al personal administrativo de nuestra pagaduría y amenazan con instaurar una especie de jurado popular. Necesito que intervengas.

—Estoy saliendo para Los Laureles. ¿Quieres que le consulte al patrón?

—Por favor. Aclárale que accedimos a sus demandas salariales pero que, pese a ello, no se calmaron. Están desorbitados.

Al procurador le extraña percibir un tono angustioso en la voz de quien, en el pasado, se había desempeñado como inquisidor de conciencias. Ahora, al frente del Ministerio de Enseñanza, parece otro individuo, más débil ante las presiones. "Los hombres son lo que las circunstancias les permiten ser. Y a Juan se le terminó la cuerda. Aun así sigue pataleando", reflexiona el procurador.

A bordo de su automóvil, recibe otro telefonema.

—Soy Alberto Paz. Interrumpo mi gira por el sureste para informarte que noto la movilización de tropas por estos rumbos. Quizá sea rutinaria, pero no deja de inquietarme... a estas alturas.

—No tenemos conocimiento de ningún simulacro militar. Voy a averiguar qué está pasando. Gracias, Alberto.

Ambas llamadas parecen indicar un derrotero peligroso y complejo. "Qué bueno que el presidente está por recibirme. Así me quito de inmediato el peso de encima", cavila Blanco Verduzco.

López Arenas lo espera. Ni un minuto permanece el procurador en la antesala, ni siquiera para aguardar el consabido y solemne aviso de la Guardia.

—Señor presidente, gracias por su deferencia. Aquí tiene usted los papeles.

—¿Qué otras novedades me trae?

—Acaban de surgir dos asuntos delicados: por una parte, los maestros de la Sección Uno se apoderaron de las cajas y los cajeros; por la otra, informaron de extraños movimientos de la soldadesca.

—¿En dónde, Modesto?

—En el sureste. Alberto Paz me telefoneó desde allá.

—Pues vamos aplicando las soluciones. Comuníquese con Díaz Torquemada y dígale cuál fue mi reacción:

creo que él mismo está propiciando el revoltijo ese para presionarme. No voy a darle ninguna importancia. Pero hágalo responsable de las consecuencias. Vamos, háblele de una vez.

Blanco Verduzco, nervioso, marca el número privado de Díaz Torquemada. Al escucharlo, procede a cumplir las instrucciones presidenciales, mientras López Arenas atestigua la acción:

—Juan, acabo de terminar mi audiencia con el señor. Le hablé del asunto y...

—¡Qué bueno, Modesto! ¿Algún recado para mí?

—Sí. El señor presidente considera que tú estás detrás del problema, alentándolo. Te hace responsable de cualquier otro trastorno.

—Pero... no es así. ¿No le explicaste?

—Tienes el día de hoy para resolver el caso. Nada más el día de hoy, Juan. Un abrazo y buenas tardes.

López Arenas sonríe. Y, de inmediato, telefonea a Arturo Dehesa, líder del PIR.

—Arturo, incluya en la lista de los aspirantes al gobierno de Los Querubines, si no existe inconveniente, el nombre de Juan Díaz Torquemada. Y cuide mucho a la prensa.

—Así se hará, señor presidente. ¿Adelantamos la decisión?

—Tómese su tiempo, Arturo.

López Arenas, con aire agitado, no reprime su entusiasmo. Parece tener prisa.

—¿Cómo reaccionó Juan, amigo Blanco Verduzco?

—Quedó muy impactado. Me dio la impresión, señor, de que se cohibió. No tengo duda de que sea culpable...

—Ahora, veamos lo del desfile —ironiza el mandatario—. ¿Qué hay con los soldaditos?

—Por el momento, sólo transitan en las calles, exhibiéndose.

—Ésta es una maniobra infantil de Cocom, Modesto. El comandante de la zona, un tal Rosendo Aguirre, es compadre de Manuel. Y este último está desempeñando un doble papel: nos subraya su lealtad y luego, a escondidas, se dedica a agitar.

—¿Perdón, señor presidente?

—Nada, presunciones mías. Vamos a ver.

El primer mandatario descuelga el auricular de la "red" y marca la clave del secretario de Guerra.

—¿General? Soy César López Arenas. Proceda de inmediato a cesar al comandante Rosendo Aguirre. Ordénele que se presente ante usted, sin darle más explicaciones. ¿Sabía que este sujeto está moviendo a sus tropas por todo el sureste?

—No, señor. ¿Qué razón tendría para hacerlo?

—Si pretendió amenazarnos, perdió por ello la cabeza. Ni una palabra más, general. Un abrazo.

El procurador observa que el primer mandatario aspira profundamente y suelta el aire, acción que repite un par de veces.

—¿Ve usted con qué facilidad hacemos política? Dicen las malas lenguas que cuando un presidente aprende a gobernar es porque ya debe marcharse. ¿Usted qué opina?

—Que no debiera irse usted, señor. Estamos acostumbrados a su estilo.

—Gracias, Modesto. Ahora un último pendiente. Manténgase lejos de Ernesto Ulibarri. A partir de hoy sólo recibirá instrucciones directas mías. Todos los días, a primera hora, me enviará un informe de novedades, muy preciso y muy claro. Pura sustancia, ¿eh?

—Así se hará, señor presidente.

—Ulibarri se ha impacientado más de la cuenta y es necesario enderezarlo. Hágame un favor: comuníqueme con él, enseguida.

Blanco Verduzco, una vez más, toma el auricular. En esta ocasión, su rostro no puede ocultar el descontrol.

—No se preocupe, Modesto. Son cuestiones de política, nada más. En unas horas, todos habremos olvidado estos "incidentes".

174

—Seguramente, señor.

No recibe respuesta al primer intento. Marca de nuevo.

—¿Ernesto? Blanco Verduzco de este lado. El señor presidente quiere hablarte.

López Arenas deja pasar uno, dos minutos, mientras hojea la última edición del *Wall Street Journal*.

—Querido Ernesto, creí, solamente creí que éramos buenos amigos.

8

El día que cumplió noventa años, Ramón Méndez, líder eterno de los trabajadores, estrenó un reloj Cartier valorado en 15 mil dólares y obsequio del presidente López Arenas, disfrutó del banquete ofrecido en su honor por las dirigencias de su central (en el cual degustó con singular alegría caviar, langosta, faisán y ganso), aceptó las siete serenatas que sus amigos entonaron desde el amanecer y elevó al cielo una plegaria:

—Dios mío: permíteme vivir hasta el próximo sexenio.

Los comensales sufragaron el ágape —tres mil dólares por "invitación"—, y casi todos homenajearon a su guía con espléndidos regalos: juegos de lentes oscuros adquiridos en la Quinta Avenida de Nueva York, casimires ingleses, corbatas de seda italiana, mancuernillas salpicadas con brillantes y alguno atrevióse incluso a poner en sus manos un bastón con rubíes en el mango "para cuando lo necesite usted".

Sin embargo, nada enorgulleció más a Méndez que la presencia en el agasajo de la familia presidencial encabezada por "los Panchos", sénior y júnior, quienes asistieron en representación del primer mandatario.

—Algún día —le susurró al oído el padre de los López Arenas— corroborará la alta estima en que lo tiene César.

—Lo sé y lo agradezco. Además, está ampliamente correspondido.

A la hora en que se sirvieron los postres, el nonagenario pidió un micrófono y, sorprendiendo a todos, dijo con voz firme y plena:

—No hay mayor satisfacción en la vida de un viejo como yo que comprobar cómo el timón de mando de la República, en manos jóvenes, indica el rumbo de la bienaventuranza. Nada me da más orgullo que constatarlo todos los días.

Con actitud discreta, aunque no pasó desapercibida para nadie, don Ramón enjugó una furtiva lágrima.

—Díganle a nuestro presidente, por favor, que aquí hay mucho corazón... todavía.

Enseguida, Francisco López del Castillo depositó en las manos de Méndez un pergamino que lo designaba "líder vitalicio" de los obreros, proyectando hacia el infinito una trayectoria que había comenzado medio siglo antes, en 1942, cuando permaneció fiel al presidente de la República y arrojó del templo a quienes, como Bernardo Salazar, pretendían fundar un nuevo partido político. Aquel gesto lo hizo indispensable dentro de la estructura del poder.

—¿Cómo está esa artritis, don Ramón? —preguntó el patriarca López.

—Controlada, al igual que el gremio: basta una terapia diaria para evitar la marea.

Francisco, el primogénito, no se despegó un instante de Méndez. Incluso lo condujo hacia el interior de la residencia cuando, en tres ocasiones, los apremios gastrointestinales obligaron al cumpleañero a abandonar momentáneamente el festín. Y el propio Pancho lo acompañó de vuelta.

—¡Cómo lo quieren! —exclamaban los convidados al confirmar las extremadas cortesías de los López.

—Es el poder, el verdadero poder —concluían sus adoradores, muy bien colocados en la administración pública. El padrinazgo no podía ser mejor.

Comió el líder a placer y terminó la jornada en el Hospital Militar, donde fue atendido con urgencia. Nada grave, tan solo el susto y tres días de inhabilitación. El presidente acudió a visitarlo.

—¿Cómo está nuestro roble? —exclamó al entrar en la habitación, donde fue objeto de las miradas de las nueras y los nietos del paciente.

—¡Caray, señor presidente! Cuánto honor me hace. Con esta clase de medicina saldré más pronto de esta prisión.

—Un bachecito suyo y el país entero se conmueve, don Ramón. Lo necesitamos mucho.

—Favor que usted me hace, señor. No se preocupe que voy a volver a las andadas.

—Más le vale. ¡Hay tantas cosas por resolver!

La política salarial de López Arenas resultaba, en apariencia, muy sencilla: contener los ingresos, primero, para reducir la carestía después. Ciertamente la inflación había descendido, pero sin que los sueldos hubieran podido recuperarse. De hecho, el deterioro se notaba en un hecho sintomático: en el presente se adquiría con un peso aquello que podía comprarse con 40 centavos cuatro años atrás.

—Señor presidente: el cinturón no puede apretarse más. Estamos en los huesos... pero no los políticos, tan llenos de vitaminas según los presupuestívoros —el matiz irónico caracterizaba siempre a Ramón Méndez.

—Pero estamos derrotando a la inflación y, con ello, pronto estaremos en posibilidad de despegar.

—¿Hacia dónde, señor? Si acaso, los consorcios estadunidenses pretenderán llevarnos al norte porque, como usted sabe, nuestro trabajo está tan subvaluado que el mayor de los ahorros consiste en emplearnos y pagarnos en pesos: la diferencia es de varios millones de dólares.

—No lo vea usted así, don Ramón. Piense en la cantidad de fuentes de trabajo que estamos creando, gracias a los bajos costos operativos de quienes invierten en el país. Con el Acuerdo, además, aumentarán nuestras posibilidades.

—Lo que aumentarán son los capitales de los aventureros de afuera y las transnacionales.

—Si enterramos dinero bueno en nuestra tierra, los frutos nos pertenecerán. Ésta es la tesis que me hace ver con optimismo el futuro.

—Siempre que no nos veamos precisados a sepultar antes en el mismo agujero a los trabajadores, vencidos por las penurias y los esfuerzos mal pagados.

—¡Ah, qué don Ramón! Siempre tan agudo. Si examina las cosas sin apasionamiento, encontrará usted las respuestas. Proyectamos el futuro, sin lamentarnos del pasado.

—Me lamento del presente, señor.

—Entonces, ¿no está satisfecho con nuestra actuación? ¿Es eso lo que quiere usted decirme?

—No, señor presidente. Le suplico que me entienda: usted es un patriota y lucha por impulsar al país. De eso no tengo duda alguna. Pero los resultados no siempre son satisfactorios. En este momento, elevar los costos de los servicios públicos, como la electricidad, el agua y el teléfono, obligará a los trabajadores a salir en masa a la calle para protestar. Esto es lo que me preocupa.

—Usted es un hombre leal al sistema y estoy cierto de que su vigor ha sido fundamental para la conservación de la estabilidad nacional. Ese empeño por el equilibrio ha conquistado la paz. Ahora bien, no debe perderse de vista la perspectiva histórica. La alternativa es muy clara: el inmovilismo, hacia el cual nos conduciría una política populachera e irresponsable, o el desarrollo, cuyos cimientos debemos poner en la actualidad. La opción, como usted sabe, es el liberalismo social.

—Soy fiel, sí señor. Jamás me atrevería a alzar la mano contra las instituciones. Creo en ellas y por ellas he batallado a lo largo de mi existencia. Pero tengo también un compromiso, el único que, al cumplirse, podrá justificar mi paso por este mundo: el bienestar de mis agremiados.

—Usted los ha defendido siempre. De no haberlo hecho, el esquema corporativista habría sido quizá rebasado.

—Señor: estoy viejo y comienzo a cansarme. Debo prepararme para la partida inevitable. Nada tengo que perder pero sí, todavía, mucho por ganar: la historia, ni más ni menos.

—Está usted en ella, don Ramón. Y lo seguirá estando.

—Pero, ¿para bien? Por eso le pido que me ayude a cristalizar mis esperanzas: que recuperen los trabajadores su poder adquisitivo. Es una súplica, la última que, tal vez, le haga...

Citados en Los Laureles, tres de los principales dirigentes sindicales, Jorge "la Zorra" Alcalá, de los electricistas, Federico Jiménez González, de los telefonistas, y Salvador Carretero, de los petroleros, perciben el malestar del presidente.

—Don Ramón, un hombre de excepción, está chocheando. Por desgracia, los años comienzan a pesarle en serio. Y su mente, otrora tan lúcida, da señales de atrofia. ¿Me entienden, verdad?

Los líderes se remueven en los cómodos sillones del despacho presidencial. Cruzan miradas, tratan de asentir con la cabeza y terminan haciendo parábolas imaginarias.

—Señor presidente —se atreve a intervenir "la Zorra"—, no dudará usted de la lealtad de don Ramón.

—Nunca, mis amigos. Trato de explicarles que me preocupa la senectud de don Ramón. Hace días vino a verme y me habló de quimeras, fantasías, sueños. No logré centrarlo en la realidad. Él, que tan institucional ha sido siempre.

—Bueno, de hecho, su liderazgo es moral y simbólico —interviene Jiménez González, cuyas· garras habían sido limadas en una "asesoría" presidencial—. Desde el sexenio anterior, la central obrera es manejada más bien por nosotros que por la cúpula. Eso sí: reconocemos que la voz de Méndez tiene influencia en las bases pero, como usted recordará, ya no las puede todas.

—El antecedente más cercano —aventura Garretero— fue lo ocurrido con mi antecesor, José "el Mineral" García Hernández. El bueno de don Ramón saltó en su defensa, pero no pudo impedir que su querido compadre terminara en el "bote". Y después no hizo nada, absolutamente nada.

—Bien, señores. El asunto es que me preocupa alguna eventual temeridad del viejo. Uno nunca sabe...

—Jamás se atrevería —enfatiza el líder de los electricistas—. Es un hombre firme e incapaz de cometer un acto contrario a los intereses del gobierno.

—Pero, en nuestra última charla, dejó entrever una velada advertencia: quiere garantizar su entrada en la historia, aunque contradiga la política laboral en mi régimen. Y esto, señores, es una temeridad.

Estupefactos, los dirigentes sindicales escuchan, cada vez más sorprendidos, las palabras del jefe del país.

—Es sólo discurso, nada más —insiste Jiménez González, quien mete aguja para sacar raja.

—De cualquier manera, no quiero correr riesgos.

El país marcha, a decir de los panegiristas de César López Arenas, quien aprovecha el momento para hacer política fina, de cara a su sucesión. En Tho, la capital de Mayalán, provincia de raigambre opositora, visita el Ayuntamiento y se hace acompañar por la alcaldesa, militante del PAR, durante toda su gira. Luego asiste a la toma de posesión de otro miembro de la disidencia, Lorenzo Centurión Valencia, de la gubernatura de Eraithuitzio.

Las experiencias le retribuyen simpatías, ovaciones, comentarios favorables.

—¿Contento, don José Manuel? —pregunta el mandatario al jerarca de Acción Reivindicadora durante una audiencia privada, cuya celebración es plenamente divulgada por los medios.

—No mucho, señor presidente —responde J.M. Barrientos—. Los rezagos subsisten y los vicios electorales también.

—Olvidemos los reproches por esta ocasión. ¿Le parece? Me agrada la buena disposición de quienes, a través de su partido, obtienen victorias y gobiernan ahora municipios y provincias.

—Y, sin duda, debe resultarle reconfortante el constatar que le aceptan mejor, donde se han reconocido nuestros triunfos, señor presidente.

—Es un fenómeno interesante. En Tho, por ejemplo, me habían anunciado que me sacarían las uñas y no fue así. Me invitaron a la alcaldía, acepté... y hasta la prensa parista elogió el gesto. Definitivamente, no lo esperaba.

—¿Ve usted? Le hace más bien al país la asimilación gradual del cambio que la intolerancia. Es nuestra tesis, de la que tanto hemos hablado.

—Cuando la oposición es responsable pueden conquistarse muchos espacios, José Manuel. No así cuando imperan los extremismos, verdaderas esponjas dispuestas a absorber extrañas influencias.

—Nunca ha sido esa nuestra postura.

—Por eso podemos hablar. Se avecina una contienda compleja, llena de nuevas dificultades. Y es necesario enfrentarla con un propósito común: la conservación del orden.

—He escuchado rumores sobre...

—No discutamos las cuestiones que involucran a mi partido sino, más bien, aquéllas relacionadas con el avance democrático por etapas y sin movimientos anarquizantes. El país está en paz y es indispensable que lo siga estando por el bien de todos.

—Estoy de acuerdo, señor. Al respecto, una fórmula útil consiste en que no se pongan en duda nuestros éxitos, por muy pequeños que éstos sean.

—Más que eso, lo importante es la voluntad de transformación. Las reformas electorales, pese a ciertas resistencias, permiten dar un paso adelante. Desde luego, cuando hay tela de donde cortar.

—Ustedes ganaron más espacios, perdiendo votos. Y la tendencia puede seguir, peligrosamente. Aun así, estamos en favor de la reforma.

—¿Por qué nos condena antes de tiempo? Mi actitud es de respeto y espero otro tanto. Hagamos un compromiso: nada de desbordes ni alianzas inconvenientes, por su parte, y la garantía de que no pretenderemos arrebatarles los triunfos que obtenga su partido, por la nuestra.

—Sobre la presunta violencia, ni hablar: nada ganamos promoviéndola, como otros. Pero las alianzas, señor, no sólo me corresponde a mí fraguarlas: son tan variadas las posibilidades.

—Hablé de inconveniencias, no de una prohibición. No me atrevería a sugerirla siquiera. Le toca a usted analizar lo que es adecuado y lo que no lo es.

—¿Cómo asegurar...?

—Tiene mi palabra, José Manuel.

Francisco López Arenas, convencido de sus alcances, no tiene un minuto de respiro. Continúa realizando visitas y recibe a cuantos se proponen verlo. Sin soltar prenda, desde luego. Y busca a Fernando Cardoso, veterano compañero de Ramón Méndez.

—Anda intranquilo mi hermano César —le confía—. Al parecer, su último acuerdo con don Ramón no fue tan afortunado como otras veces.

—El líder, en cambio, se mostró muy satisfecho. Me dijo que, ahora sí, sentía que había logrado motivar y convencer al presidente.

—No fue así, exactamente. Creo que éste es uno de los puntos neurálgicos de cara a la decisión final.

—Don Ramón no creará problemas. Sabe lo que quiere y no busca otra cosa que mostrarse afín a la determinación del señor. A estas alturas, no piensa en convertirse en revoltoso. Se lo aseguro, Francisco.

—Sin embargo, no fue tan incondicional como otrora. Midió sus terrenos y puso en un aprieto a César.

—¿Por qué? Según entiendo, ambos fueron muy claros: Méndez pretende satisfacer las demandas obreras con la buena voluntad del señor. Y la petición tiene un sentido político indudable.

—Vamos a ver. ¿Cuál es la intención?

—Para negociar, se necesitan recursos e instrumentos. Los trabajadores están muy desgastados y sólo con un anuncio espectacular podría asegurarse su participación entusiasta en la próxima contienda. Eso es todo.

—No lo planteó de ese modo en Los Laureles. Quizá si lo hubiese hecho no habría dado motivos para el disgusto...

—¿Disgusto? ¿El presidente se molestó de verdad?

—No tanto como eso. Más bien se confundió, creo yo.

—Mire Francisco: la sucesión tiene, en esta ocasión, un tinte muy diferente, que puede resultar complicado. Lo sabemos. Y don Ramón se prepara para contener la reacción de agitadores y oportunistas. Además, calcula que, debido a su avanzada edad, será su última intervención en el proceso. Lo cual es comprensible.

—Así, la cosa cambia. Dígale a don Ramón que le envío un cariñoso abrazo, muy fuerte.

Cardoso, enseguida, se dirige a la casa del bienamado. Se siente eufórico, listo para la batalla final. Méndez lo aguarda en el pórtico de su residencia.

—¿Y bien, Fernando? ¿Cómo te fue con el "delfín"?

—Estupendamente. Creo que mordió el anzuelo. Estamos recobrando, como querías, la importancia de antiguas jornadas.

—De eso se trata. La única manera de proyectarnos con fuerza hacia el siguiente periodo reside en maniobrar con el capricho de los López Arenas. Tomaron su decisión, nosotros también. Y algo debe servirnos el haber sido los primeros en pasar por el aro.

—Ni hablar. Francisco está muy relajado y entendió las razones que le expuse: un aumento sustancial a los salarios como condición para que podamos entusiasmar y controlar al sector. De otra manera, las reacciones serían impredecibles.

—Perfecto. Así nos revaluamos con las bases y, al mismo tiempo, escalamos los nuevos tiempos sin acechanzas. La clave está en guardar las distancias y las proporciones. No me falló la intuición... ¡y dicen por ahí que soy un viejo carcamán!

Entre los consejeros de Acción Reivindicadora no se aprecian muchas coincidencias. Para unos, la negociación mecánica con el gobierno traiciona los postulados partidistas; para otros, sólo mediante una coalición sería factible aspirar a un triunfo "histórico". Lo discutible es, en todo caso, el liderazgo de José M. Barrientos.

—Sin definiciones, no llegaremos a ninguna parte —expone Nerio Menéndez Pereira, uno de los intelectuales más respetados por la dirigencia—. Y más nos vale suscribir, de antemano, los acuerdos necesarios para asegurar nuestro camino.

—Llevamos más de medio siglo repitiendo lo mismo —responde Juventino Schwartz Figueres, ensayista de largo historial partidista—. Volvemos, siempre, al punto de partida. ¿De qué nos ha servido nuestra supuesta cercanía con el presidente? Los resultados son los mismos: comicios fraudulentos, promesas de reivindicación, en fin, migajas de poder. Sólo eso.

—¿Y qué hubieras hecho tú? ¿Radicalizarte como Emiliano Guadalupe? ¿A dónde ha llegado él? Lo mantienen a raya, cercado por las deslealtades de quienes lo han vendido. ¿Esto es lo que perseguimos?

—Te conformas, entonces. Hace unos años envidiabas el curso del emilianismo, porque en materia de aglutinación nos aventajaba. Ahora adoptas la posición contraria.

—No, Juventino. Sucede que tú te quedaste en el pasado. En la actualidad, nos es más favorable mantenernos solos que navegar con los intransigentes.

—¡Vaya! Toda una sorpresa. El promotor del inmovilismo muestra su verdadero rostro.

—Déjate de sofismas ¿quieres? Estamos en una carrera en la que ya hemos conquistado dos gubernaturas, dos escaños y las alcaldías de seis de las diez ciudades más importantes del país. ¿No es suficiente?

—Depende de cuál haya sido el precio. ¿Nuestros candidatos son los más adecuados? ¿Tienen trayecto y militancia o sólo son producto de concertaciones ajenas a los objetivos primarios del partido?

—¡Cómo te duele que nos apoyen los empresarios! ¿Qué tienes contra ellos, Juventino?

—Que no son auténticos. Aunque debo reconocer que hay excepciones.

La discusión sube de tono y los corrillos se forman para analizar las posturas en apariencia irreconciliables. José M. Barrientos expresa su opinión:

—Cada uno sostiene argumentos válidos. Me sumo a la corriente de la prudencia, porque ésta nos ha dado en los últimos años buenos dividendos. Pero, también, creo que nuestras posibilidades aumentarían, si no nos quedáramos solos.

—Pero ¿acaso el presidente no estableció sus condiciones? ¿No te dijo claramente que si había alianzas indeseables, nos abandonaría a nuestra suerte? ¿Nos conviene eso?

—Por partes, Nerio. Habría que preguntarse hasta qué punto la opinión presidencial es trascendente para nosotros.

—No creo que hables en serio. En este país y en este momento, no cabe semejante interrogante. Aunque no lo quisiéramos, él mantiene los controles y reparte las cartas. ¡Hombre!

—Pero ya experimentamos también lo que puede ocurrir. Lo vivimos en el 88 y no dábamos crédito.

—Las condiciones eran distintas: la crisis acicateaba las conciencias y la mediocridad de los gobernantes encendía los ánimos. Con López Arenas no ha sido así. Debemos partir de bases ciertas y convincentes: la oposición avanza cuando el gobierno es deficiente. Y el presidente, nos guste o no, es popular.

—Te falta agregar un ingrediente, José Manuel —interviene Schwartz—. El presidente está ensoberbecido y ya sabemos quién es su candidato. Esto es fundamental, ¿no?

—Será una manera de prolongar su poder. Y el pueblo podría confundirse. En ello convengo, Juventino.

—Los antecedentes no le son favorables: los "repartidores" en puestos de elección popular han enfrentado un fuerte rechazo, aun aquellos con una impecable hoja de servicios —apunta Schwartz.

—Sostengo una tesis —expresa entonces Menéndez Pereira—. Es mucha la ignorancia en los sectores políticamente controlados, los más humildes. Pero ciertas consignas, por ejemplo el maniqueísmo acerca del bien y el mal, Dios y el demonio, prevalecen. Durante décadas, los documentos oficiales, incluso aquellos que circulan en las modestísimas alcaldías rurales, incluyen al calce la leyenda alusiva a la No Reelección. Y se repite en voz alta la "muletilla" como parte del rito. No será tan fácil convencer al pueblo de lo contrario.

—Quizá en ello pensó López Arenas para detener la reforma constitucional —señala Schwartz.

—Pero, de hecho, la candidatura de Pancho, su hermano, será una reelección... y tendremos gran parte del terreno abonado. En este sentido, ¿qué caso tiene entregarnos antes de tiempo? —pregunta Barrientos.

Óscar Rosas, responsable de la informática y las relaciones públicas de la presidencia, no puede estar más satisfecho: en la mano tiene las pruebas acerca de la penetración pública lograda por su jefe y presiente que al primer mandatario le dará un enorme gusto conocerlas. Se reunirá con él al cabo de las audiencias protocolarias del día.

—Óscar —le avisa Roberto Aceves—, ya puedes venir.

En cuestión de segundos desciende la escalera que comunica directamente su confortable oficina con el patio central de Los Laureles. Cruza la arboleda, sonriente, seguro. Va tarareando una baladita de moda: "Hagamos juntos un compromiso por la equidaaad".

—Señor presidente, aquí me tiene.

—Revisemos, pues, esas encuestas. Espero que no me vaya a dar un susto...

—Se lo daré, señor, pero de alegría. Nuestros compatriotas saben valorarlo y reconocen sus esfuerzos. Los datos no mienten.

—Seamos precisos, Óscar. Me interesa, especialmente, la zona metropolitana.

—Lo sé, señor. Del total de habitantes, 62%, escuchó usted bien, 62% manifiestan simpatía por usted; 18% lo rechazan y 20% expresaron ciertas dudas. El avance es de 17 puntos con respecto al año pasado. ¡Es estupendo!

—Me satisface mucho, Óscar. ¿Y en el resto de la República?

—Sencillamente arrollamos: 75% a favor, o sea un ascenso de 16 puntos, 13% consideran aceptable su labor y sólo 12% nos condenan. Es decir, nueve de cada diez entrevistados apoyan su gestión gubernamental. No creo que algún estadista pueda superar, en sus respectivas áreas de influencia, la contundencia de estos numeritos. Lo felicito, señor presidente, y debo decirle que me enorgullece continuar a su lado.

—¿Aunque esté pensando en enviarte como gobernador a "la tierra de la gente buena"?

—No habría mejor galardón que terminar con usted el sexenio.

—Es curioso: abundan quienes creen que los más cercanos colaboradores del presidente, por su facilidad de acceso, tienen más oportunidades para luchar por sus legítimas ambiciones personales. Y se equivocan. ¿Recuerdas cómo candidateaban a Sebastián Ganzúa? Pues él me confesó que nunca trató su caso con De la Tijera. No podía, me dijo, porque hacerlo habría sido una deslealtad.

—Coincido con ello y así lo consideraré en su momento, señor.

—Lo sé, Óscar. Y se lo agradezco. En fin, faltan algunos meses... quizá opte por conservarlo cerca o me incline por favorecer a sus coterráneos. En cualquier caso, el futuro no debe inquietarlo.

En los pasillos del moderno edificio del Partido de las Instituciones Revolucionarias, la confusión va en aumento. Alguien soltó la especie de que "ya era un hecho" la nominación como candidato a la presidencia de Ernesto J. Ulibarri, ministro del Interior. Y como manada de búfalos llegaron a la sede centenares de "simpatizantes" de toda la República. Arturo Dehesa, el jerarca, está fuera de sí:

—¿Quienes inventaron ese "borrego"?

—Fue la radio, Arturo —responde, muy afectado, Roberto Morelos, jefe de ayudantes—. Radio Dos Mil informó que hoy mismo se produciría el "destape". Incluso, el sindicato de la estación envió un saludo cordialísimo "al nuevo abanderado", como llamaron a Ulibarri.

—¿Habrá llegado a tanto Ernesto? Es inconcebible, dada su experiencia. Comuníqueme con él, por favor.

Se trata de la primera crisis seria ocurrida al interior del partido durante la gestión de Dehesa, quien no alcanza a comprender cómo se originó.

—¿Ernesto? ¿Ya sabes...?

—Estoy alarmado, Arturo. No entiendo lo que está pasando. Y, por supuesto, nada tengo que ver.

—¿Hablaste ya con la prensa?

—Me encerré bajo siete llaves y no saldré sino después de que el señor presidente o tú me den instrucciones al respecto.

—No sé qué decirte. Esto es muy grave, Ernesto. Nos pone en una encrucijada.

—¿Quieres que dé la cara y desmienta todo?

—Podría ser. Claro. Antes de que López Arenas se vea obligado a tomar cartas en el asunto. Si no actúas, Ernesto, será la evidencia de que tú provocaste el incidente.

—Una trampa, ¿no? Y si encaro a los periodistas, estaré echándome la soga al cuello. Una maniobra maestra. Bien: dile a César que cumpliré con mi parte.

Los locutores de televisión y radio anuncian que, en breve, transmitirán un importante anuncio desde el Ministerio del Interior. En la pantalla chica, con el rostro desencajado y amarillento —"debe haber problemas de sintonía"—, aparece Ernesto J. Ulibarri.

—Amigos de la prensa: esta mañana, sin motivo alguno, ciertos medios expresaron, de manera ligera e irresponsable, que el titular de este Ministerio sería designado candidato a la presidencia. Nada más alejado de la realidad. Quien les habla tiene por delante una importante misión que cumplir: garantizar la limpieza del proceso electoral, desde su inicio, y la libre expresión de la voluntad popular. Es todo, señores.

—Entonces, ¿no será usted...?

—El partido actuará en su momento.

—¿Decepcionado, señor secretario?

—Nada de eso: estoy muy contento. Sin duda, mi partido sabrá elegir al hombre idóneo para continuar el trayecto revolucionario de César López Arenas.

Grabadoras y micrófonos golpean la cara del funcionario, mientras éste evita seguir respondiendo. Una reportera audaz, al pretender retener su mirada, le arranca los lentes bifocales. La transmisión se interrumpe en ese momento.

—¡Ja, ja, ja! ¡Te llegó la hora, Ernesto!

Los colaboradores "más íntimos" del presidente escuchan, a través de la puerta, las carcajadas. Es obvio que el "patrón" había disfrutado en grande de la escena que, para los demás, resultó insólita, sin antecedentes en la vida nacional. Unos instantes más tarde el timbre del interfón sacude a Aceves, el secretario privado.

—Sí, señor. ¿Con Ganzúa? Enseguida, señor. ¿Sebastián? Va a hablarte el señor presidente. Un momentito. Ya está en la línea, señor.

—¿Qué te ha parecido, Sebastián? El bueno de Ernesto se puso en evidencia. Pobrecito.

"Entonces, todo lo fraguó César para sancionar las deslealtades de su antiguo colega. No se las perdonó", reflexiona Ganzúa.

—Lo he visto, sí. Pero allá en el partido pasaron un mal rato. Dehesa estaba al borde de la esquizofrenia.

—Pero, ¿cómo? No me digas que los descontroló la maniobra.

—Por supuesto... que no. Pero se dejó venir la "caballada" a todo galope. Fue muy desagradable.

—Tienen que irse acostumbrando a estos menesteres, Sebastián. La tormenta ni siquiera ha empezado.

Fernando Cardoso, el "obrero impecable", no cabe en sí, enfundado en su traje gris, un casimir antiguo adquirido en La Popular de El Paso, mientras espera en la antesala de la residencia oficial. Lleva una encomienda difícil, sobre todo porque podría disgustar al presidente.

—¿Qué me cuenta, Fernando? ¿Está bien don Ramón?

—Sí, señor. Un poco achacoso, ya sabe usted. Pero entero. Me pidió que lo disculpara porque no pudo venir personalmente a verlo, pero está seguro de que usted entenderá.

—¿Y qué se les ofrece a mis amigos los trabajadores?

—Un aumento, señor. Para que todos estén quietecitos y no vayan a pretender hacer olas.

—Nada de marejadas, ¿eh? Tranquilos todos. Usted sabe, Fernando, que no conviene disparar los salarios porque repuntaría la inflación, a la que tanto hemos combatido. He pedido sacrificios a los obreros y me han respondido, pero deben aguantar un poco más. No olvide que ya viene el Acuerdo.

—Don Ramón me pidió recordarle que hace 18 años, es decir, tres sexenios atrás, el presidente Jerónimo Lamberto pretendió desquiciar la economía valiéndose de los asalariados del país. En esta misma oficina presionó a nuestro líder para que solicitara un incremento desproporcionado. Le dijo que "sólo así pondremos en su lugar a los riquillos". Pero don Ramón permaneció firme, negoció con los empresarios y obtuvo un aumento razonable, muy por abajo de las pretensiones del primer mandatario. Y salvó al país.

—Conozco la historia, Fernando. Si Méndez hubiese aceptado aquella propuesta, la quiebra nacional habría sido inevitable. El pobre peso no aguantaba más. Bueno, ¿adónde quiere llegar?

—Hoy la economía está firme, gracias a usted, pero el salario obrero no. Los trabajadores han soportado la carga, sin chistar. Y creo que merecen ser compensados.

—Vamos haciendo números. ¿De cuánto es la peticion?

—De 30%, señor presidente.

—¡Imposible! Un alza así nos conduciría, otra vez, a la catástrofe. Ni pensarlo.

—Señor: tenga usted en cuenta los efectos políticos...

—¡Basta, Fernando! No soy un imbécil. Capto perfectamente las dobles intenciones. Ramón Méndez me habló de pasar a la historia, pero no me dijo que pensaba hacerlo a través de un chantaje extremo.

—Señor, no...

—Déjeme terminar, Fernando. Usted le va a transmitir mi respuesta: ni chantaje ni historia. Si insiste en esta actitud para darse importancia, no quedará de él ni el más mínimo recuerdo en los libros de texto. ¿Estamos? Habrá un incremento, sí, pero de alrededor de 6%. Y es bastante. Cuidado, mucho cuidado con lo que hagan y digan. ¡No consentiré ni la más pequeña presión.

—Pero, señor. Déjeme explicarle...

—Se acabó, Fernando. Váyase rápido a cumplir su cometido. Y estaré al pendiente.

—¿Puedo anunciar lo del aumentito?

—No use el diminutivo. Sí, hágalo.

El reloj aún no daba las seis de la mañana cuando el teniente Espíndola, de los Guardias Presidenciales, tocó a la puerta de la recámara principal de Los Laureles. Sólo en casos de extremada urgencia se justificaba tal atrevimiento.

—Señor, por favor. Tengo un comunicado.

El presidente había despertado quince minutos antes, gracias al encendido automático del televisor. Veía, siempre que podía, el primer noticiario de la CNN, emisión extranjera transmitida por satélite.

—Diga, teniente.

—Nos acaban de avisar, señor, que el reo José ''el Mineral'' García Hernández amaneció muerto. Al parecer, se ahorcó en su celda. El procurador Blanco Verduzco solicita instrucciones.

—¿Ahorcado, ha dicho? ¿Acaso no había vigilantes?

—Los custodios, señor, veían el programa ese de "El Destrampe" en un aparato que recién les había obsequiado García Hernández.

"El Mineral" García Hernández tuvo el control, por casi treinta años, del sindicato petrolero. En ese lapso, fue objeto de todo tipo de acusaciones, que nadie se atrevió a investigar: robos, asesinatos, despojos, imposiciones. "Indispensable" para el sistema por su capacidad de concertación, cada mandatario veíase obligado a transar con él, a fin de no poner en peligro a la industria del oro negro, pilar de la economía. Pero, al fin, "el Mineral" cometió un error.

El cacique —no era otra cosa— nunca "tragó" a López Arenas quien, dentro del programa de ajuste financiero aplicado durante el régimen de Adolfo de la Tijera, lo presionó a rendir cuentas pulcras, cerrándole el paso al gran negocio de los desperdicios, el cual multiplicaba las disponibilidades del sindicato en 500%. Enfurecido, "el Mineral" se enfrentó al ministro y, más tarde, cuando éste se convirtió en candidato presidencial, decidió apoyar, subrepticiamente, a Emiliano Guadalupe Bautista, al que le dijo: "Usted sí es revolucionario".

El gusto le duró muy poco: apenas tomó posesión López Arenas, García Hernández fue apresado mediante una maniobra relampagueante. El destacamento militar que lo sacó a empellones de su casa, después de haber dirigido ésta un disparo de bazuca, no le concedió tiempo ni para que se pusiera el pantalón. En diez minutos se vino abajo su poder. Fue transferido a la capital y sentenciado. Nadie lo defendió, ni siquiera aquellos poderosos que le debían su fortuna.

—¿Modesto? Así que se suicidó García Hernández. Ni muerto deja de causarnos problemas. Mira cuándo se le ocurrió hacerlo.

—Estamos investigando, señor. Es posible que lo hayan solapado en el penal.

—¿Por qué se quitó la vida? Deje eso, Modesto. Lo importante es que ia noticia no trascienda. Ordene que se prohíban las visitas de sus familiares y transfiera a los vigilantes. Vamos a mandarlos fuera, como agregados a alguna embajada. Trate de ser muy diligente y muy cuidadoso.

—¿Hasta cuándo mantendremos el secreto?

—El mayor tiempo que sea posible. Un año, quizá. Luego de que las elecciones hayan concluido.

Aquél no iba a ser un buen día. Hacia las tres de la tarde, cuando el presidente se disponía a comer, llega otro aviso urgente.

—Señor, con todo respeto —interrumpe el teniente Espíndola—. El señor Ramón Méndez acaba de sufrir un ataque cardiaco. En este momento está siendo trasladado al Hospital Militar.

—¡Válgame! Y precisamente hoy. Supongo que le enviaron una ambulancia aérea. Con el tráfico de las horas punta podría no llegar con vida...

—Así es, señor. Viaja en helicóptero.

—¿A qué hora sucedió?

—Hace, aproximadamente, treinta minutos. Todavía no tenemos el informe médico.

—Avísale al Dr. Toshishigue que se dirija, de inmediato, al hospital. Deben mantenerlo con vida... por lo menos una semana más.

Preocupado, López Arenas revisa su agenda. Tenía señalada una fecha: 15 de septiembre. "Sólo faltan seis días para las fiestas. ¿Qué mejor ocasión para adelantar la noticia que todos aguardan?", reflexiona.

Personalmente marca el número telefónico del centro médico, orgullo de la soldadesca.

—Habla el presidente de la República.

—Y aquí, de este lado, Gorbachov.

—Hablo en serio, jovencito. No me haga perder el tiempo. ¿Quién es usted?

—¿De verdad es usted el presidente?

—Por supuesto, muchachito. ¿Cómo te llamas?

—Vuelva a marcar, ¿sí? Ahí nos vemos...

López Arenas no tuvo más remedio que sonreír e intentar de nuevo.

—¿Señor presidente? Disculpe usted la tontería... —se excusa la enfermera Gómez, encargada de Urgencias.

—No tiene importancia. No vayan a perjudicar al chamaco. ¿Llegó ya el señor Ramón Méndez?

—Hace dos minutos, señor. ¿Desea usted hablar con alguna persona?

—Con alguien que esté informado. Por supuesto, no distraiga a los médicos.

—No se preocupe, señor. Le comunico con el mayor De la Huerta, director del hospital.

—A sus órdenes, señor presidente. No hay novedad hasta el momento: el estado de don Ramón es estacionario.

Entonces, el primer mandatario escucha, a través de la línea, gritos, pisadas frenéticas, aporreos de puertas.

—¿Qué sucede, mayor?

—Al parecer, señor, don Ramón acaba de fallecer.

Tres días de duelo nacional. Por instrucciones presidenciales, el cuerpo de Ramón Méndez sería velado en el auditorio de la central obrera, el cual había sido inaugurado en la misma fecha en que López Arenas ascendió a la presidencia.

—Artemio —Frías, ministro de Relaciones Laborales, un sesentón impenetrable—, le ruego encargarse del sepelio. Creo que sería muy adecuado sepultar los restos en el Monumento a los Revolucionarios.

—Pero, señor presidente: el padre de don Ramón fue coronel de los ''contras''. Y el propio Méndez, a los doce años de edad, participó en la batalla de la Noria al lado de su progenitor. Es decir, en el bando contrario.

—¿Y quiénes lo saben? Él representa a la revolución hecha institución. Y eso es lo importante. Sobre los antecedentes, ni una palabra y cuide que nadie los divulgue.

A las ocho de la noche, el cadáver llega al auditorio de la sede sindical. Y quince minutos más tarde, el presidente monta guardia al lado de los familiares del líder extinto. Después, López Arenas hace declaraciones a la prensa:

—Es una enorme e irreparable pérdida para el país, para todos los que tuvimos el honor de conocerlo y tratarlo. Fue un patriota en toda la extensión de la palabra. Un ejemplo para los ciudadanos de hoy, de mañana, de siempre.

—¿El movimiento obrero entrará en crisis?

—No hay razón alguna para ello. Don Ramón, sabio y generoso, deja tras de sí una organización pujante y ordenada. Los cimientos prevalecerán.

Discreto, el presidente manda llamar a Fernando Cardoso. Y juntos, se encaminan a las oficinas de la central, sin ser acompañados por guardaespaldas.

—¿Y bien, Fernando?

—No resistió. Cuando le transmití su mensaje, palideció y se desplomó. Luego, viajé con él a bordo del helicóptero.

—¡Cuánto lo siento! Fernando, he pensado que usted será el vocero de nuestro partido a la hora de la postulación del candidato. Será como un homenaje póstumo a nuestro admirado difunto.

—¡Señor! ¡Se lo agradezco infinitamente!

Pero en el ánimo del presidente prevalecen otras intenciones. "La historia ya tiene candado", medita López Arenas.

9

George Bush, en la búsqueda de simpatías por abonar a su causa reeleccionista, adopta un gesto reflexivo y serio cuando, en el pórtico de la Casa Blanca, recibe a la delegación intersecretarial que delibera sobre la firma del Acuerdo Comercial. Carla Hills, coordinadora de los estadunidenses, destaca el calor y la buena disposición de los delegados latinoamericanos: "Su positiva actitud se halla muy por encima de las viejas rencillas históricas".

El hábil negociador Leandro Salvatierra, ministro de Desarrollo Industrial y Mercantil y representante del presidente López Arenas, pronuncia un vigoroso discurso:

—Durante décadas nos han aislado los muros de la incomprensión y la soberbia. Hemos convertido incidentes circunstanciales en conflictos graves que involucran a las soberanías; nos hemos comportado de manera infantil e irresponsable. Los tiempos son otros, por fortuna, y hoy la diestra generosa del presidente Bush estrecha la de su colega, el presidente López Arenas, para caminar juntos en bien del continente. Que este andar no se detenga jamás.

La última frase, fuera de contexto, permite a los cronistas norteamericanos analizar la relación existente entre el convenio en cuestión y la necesidad de garantizar una continuidad política, que evite los frecuentes vaivenes resultantes del subdesarrollo, la inestabilidad social y los complejos de inferioridad de aquellos gobiernos "deslumbrados por el poder de Washington".

—El presidente López Arenas es un gran líder y un excepcional aliado de Estados Unidos —enfatiza Bush—. Nunca han sido mejores las relaciones entre ambos gobiernos, gracias a la capacidad de concertación de nuestros amigos. Y podemos probarlo con datos concretos, no sólo mediante las cortesías habituales: en el último año, la balanza comercial entre nuestros dos países alcanzó, por fin, un equilibrio. Manteníamos un déficit de 132 millones de dólares; ahora se registra un superávit de 300. Y nuestras exportaciones nos permitieron crear 300 mil empleos adicionales.

Las preguntas menudean. Los reporteros quieren precisiones y no información aislada, posiblemente engañosa.

—¿Por qué una nación tan poderosa, como Estados Unidos, depende de un país débil para crear nuevas fuentes de trabajo? —interroga una corresponsal de la cadena televisiva Masvisión.

—No me ha entendido, señorita. Nuestro acuerdo beneficia a ambas partes. Se trata de la típica situación donde no hay perdedores. Pronto tendremos un mercado que abarque desde Alaska hasta la Patagonia.

—¿Como en el imperio de Carlos V, señor presidente, en donde el sol no se ocultaba nunca?

—Pero sin sujeciones inmorales. Los convocados obramos por voluntad propia en la persecución del bien común. Existe plena libertad para que cada quien señale su destino.

—¿Qué ocurrirá cuando usted deje la Casa Blanca y López Arenas abandone Los Laureles? —interroga, casi al final de la conferencia de prensa, Ángel Finisterre, de *La Mañana*.

—No pienso en eso todavía. Falta mucho tiempo.

—Únicamente un año más, señor presidente.

—¿Sólo eso? Deberé revisar mi calendario porque tenía otra impresión... Aquí me quieren cuatro años más.

Bush toma del brazo a Salvatierra y lo conduce al interior de la alba casona. A su izquierda, el secretario de Estado, James Baker, no pierde detalle.

—¿Cómo van los asuntos políticos de mi amigo César?

—Muy bien, señor. El país está tranquilo y así permanecerá. No existe nada en el panorama que enturbie la estabilidad y el orden. Por ello, podremos tomar las decisiones convenientes sin experimentar presiones de los extremistas. Es un gran logro, ¿no cree usted?

Los funcionarios norteamericanos quedan gratamente sorprendidos por los agudos juicios de Salvatierra y su gran capacidad de respuesta a los más espinosos planteamientos. Además, la visión del ministro sobre el futuro de su país produce un buen efecto entre los analistas. Salvatierra no parece ocuparse de los antiguos prejuicios ni de las maledicencias tradicionales. Es un hombre en su sitio... el mismo que han dispuesto prudentemente para él sus contertulios.

Esa tarde, la prensa neoyorquina enfatiza los conceptos presentados por el secretario de Desarrollo Industrial y Mercantil. En los editoriales, el reconocimiento es pleno:

> Leandro Salvatierra es el gran ministro de López Arenas, el hombre más importante del sexenio después del presidente. Bastaría con dos funcionarios de su estatura para derrumbar las fronteras de la incomprensión.

Ya entrada la noche, en la suite reservada a los jefes de Estado, Salvatierra recibe el telefonema esperado:

—Leandro, te felicito. No pueden ser mejores los informes. Al parecer, los impresionaste muy positivamente.

—Siguiendo tus instrucciones, señor presidente —responde Salvatierra, quien junto con Ulibarri y Ganzúa formaba la trilogía de colaboradores que tuteaban al primer mandatario.

—¿Y a Bush cómo lo trata su prensa?

—Bien en términos generales, aunque no faltan los "juiciosos" que quieren darle sentido político a todo. Por ejemplo, bastaron unas frases amables sobre el futuro para construir un peligroso andamiaje reeleccionista en el que, desde luego, nos incluyen.

—Bueno, no es nada nuevo, Leandro. En cambio, en nuestra tierra le darán otro sentido. Ya verás que empezarán a nominarte para la grande.

—Tú y yo hemos hablado al respecto. Y no voy a derrapar... como otros.

—De cualquier manera, no confíes en los periodistas. Procura no hacer afirmaciones que pudieran tener un doble sentido, porque alborotarías el gallinero.

A su retorno, Salvatierra se sorprende de la cálida bienvenida y la cobertura generosa de los medios informativos. Además, la presencia de doce gobernadores en el hangar gubernamental enciende la imaginación de los comentaristas y la curiosidad del propio funcionario:

—¿Podríamos hablar muy en privado? —le pregunta el gobernante de la norteña provincia de Valle Dorado, Felipe de la Garza.

—Por supuesto, cuando ustedes quieran.

—¿Qué tal enseguida, en tus oficinas?

El forzado cónclave se efectúa en la Sala de Juntas del Ministerio, sin presencia de extraños; incluso, porteros y camareros son despedidos del recinto.

—Te traje, Leandro, estos camarones en escabeche, recién preparados. Los pedí de tamaño presidencial —bromea Julio Pinzón, gobernador de Laguna Nueva—. Nada más queríamos hacernos presentes.

—Se los agradezco, señores. Me halagan, de verdad.

—Creemos —abunda De la Garza— que en ti está la solución contra muchos males. Eres el mejor remedio, para acabar pronto. Garantizas la continuidad... sin retrocesos históricos.

—Terminemos con las insinuaciones, queridos amigos. Saben muy bien que mis posibilidades son mínimas debido a mis orígenes: soy hijo de españoles, no lo olviden, y la Constitución me inhabilita.

—Todo puede reformarse cuando existe voluntad política. Podríamos pedir a los legisladores de nuestras provincias que presenten la iniciativa de una vez. ¿Qué nos dices?

El "desayuno atlético", según expresión del presidente López Arenas, reúne en el comedor de la residencia oficial a Sebastián Ganzúa y Leandro Salvatierra. Habían corrido, en el hermoso jardín privado, unos ocho kilómetros. Después vino la zambullida y, por último, se sentaron a la mesa.

—Hay una corriente de simpatía muy definida en favor de Leandro —informa Ganzúa sin mayor preámbulo.

—No la he buscado. Al contrario, traté de desalentar, sin mucha fortuna, a varios gobernadores —responde, sin titubeos, el aludido.

—Doce, para ser exactos —apunta Ganzúa—. Cada uno de ellos tiene motivos para buscar un refugio, porque han tenido dificultades para instrumentar el Prone en sus respectivas provincias. Quizá por ello se opongan a la idea original.

—Nos favorece el clima —sentencia el presidente—. Hay que dejarlos que se descubran solitos: así sabremos en quiénes no podemos confiar y dónde será necesario rellenar los baches. Es una oportunidad magnífica, si contamos con tu colaboración, Leandro.

—No obstante —continúa Ganzúa—, podría generarse un ambiente de inestabilidad que favorecería a los opositores. Éstos ya se preparan para el asalto final.

—Lo sé, Sebastián. Pero permitamos que sean ellos quienes se precipiten, no nosotros. La muerte de don Ramón enfrió un poco la caldera. Yo quería, en principio, aprovechar las fiestas nacionales para lanzar la nominación. Ahora deberemos esperar. Lo cual nos conviene, porque podremos descubrir todas las deslealtades y obrar en consecuencia.

—Sin embargo —interviene Salvatierra—, no deja de ser peligroso que se nos adelanten los de la oposición. El PAR y la IU comienzan sus asambleas nacionales, simultáneamente, mañana. Puede ser que en ellas se ventilen nombres e, incluso, no sería remoto que se produjeran los "destapes".

—Casi con seguridad así será —afirma Ganzúa—. El único peligro que yo percibo es la posibilidad de una candidatura única.

—No me angustia tanto, Sebastián. Los paristas están muy divididos, ¿eh? —señala López Arenas, guiñando a sus invitados—. Y no se atreverán a llegar muy lejos. Al contrario, les gusta ir paso a pasito.

—¿Y si se produce una escisión? —pregunta Salvatierra.

—Mejor, mucho mejor para nosotros. Leandro: necesito que estés muy pendiente de la etapa final. Por eso te he citado. Serás el enlace informativo, de primera mano, con los amigos norteamericanos. No quiero sorpresas ni emboscadas informativas. Tu cabildeo ha sido hasta ahora muy eficaz y deberá seguir por el mismo camino. Cualquier desviación, aun la más pequeña, podría acarrearnos gravísimas dificultades.

—Cuenta con eso. Lo que más les preocupa allá es una eventual pérdida del control.

—¿Y tú crees —pregunta el presidente, casi divertido— que eso pueda ocurrir? Es más cercana la posibilidad de que Bush muerda el polvo en noviembre. ¿Cómo viste la situación?

—Esto es lo más grave: Clinton va adelante. Nuestros cálculos iniciales fueron erróneos. Para colmo, el gobernador de Arkansas manifiesta, una y otra vez, severas dudas respecto al Acuerdo Comercial. No lo rechaza, pero sí propone corregirlo.

—De estancarse la inicialización del convenio careceríamos de liquidez para el próximo año... y esto, Leandro, es muy arriesgado.

—Lo entiendo, César. Pero ésa es la verdad: Bush puede perder la Casa Blanca y nosotros no hemos establecido ningún contacto con el señor Clinton.

—Se encelaría Bush, sin duda. Ojalá que tras los debates entre los aspirantes la marea cambie.

—No lo veo factible, César.

—Entonces... tendremos que jugar solos.

Afuera del Salón Ribera Azul, sede de la asamblea del Partido de Acción Reivindicadora, se produce un enfrentamiento violento. Las huestes de los llamados "tradicionalistas" agreden a los delegados "renovadores" en el momento en que éstos intentan entrar en el recinto de baile convertido temporalmente en foro político.

—¡Traidores, fuera del PAR! —gritan los atacantes. Y de las palabras pasan a los hechos: apalean a placer a sus compañeros de partido. Diez de ellos resultan seriamente lesionados.

Al interior de la sala, el desorden imperante es presagio de turbulencias. Nadie logra hacerse escuchar ni imponer su autoridad. El líder, José Manuel Barrientos, amenaza con retirarse sin que nadie se lo impida.

—Esto es inaudito —comenta el dirigente del PAR al diputado Marcial Canchola, uno de los más conservadores—. Detén esto antes de que se convierta en un pandemónium.

—Nada más dime cómo y con mucho gusto —ironiza Canchola—. Esto no lo para nadie. Suspende la sesión, de una vez.

Tímido, con voz casi inaudible, Barrientos anuncia:

—En virtud de las condiciones prevalecientes, la inauguración se pospone para mañana a la misma hora. Rogamos a todos los asistentes hacer un esfuerzo para que predomine la cordura. Muchas gracias.

Luego, pide a los miembros del consejo que le acompañen al local del partido, a fin de "determinar las medidas por tomar". Y le extraña que sólo acudan a la cita los "renovadores", con Juventino Schwartz a la cabeza. Los "tradicionalistas", cuya asistencia prefería, brillan por su ausencia.

—Estarás muy satisfecho, José Manuel —señala Schwartz en cuanto comienzan a acomodarse en la sala de juntas—. ¿Qué vas a hacer ahora? ¿Cruzarte de brazos?

—No tienes por qué responsabilizarme. Es raro que no estén aquí los del bando contrario al de ustedes. ¡Qué pena hacer diferencias entre lo que debiera ser un núcleo firme!

—Perdóname, pero tú tienes la culpa. ¿Cuántas veces nos opusimos a que negociaras con el presidente? Y ni qué decir durante la amarga etapa de la reforma electoral. Echaste la soga al cuello de todos nosotros. ¿Qué esperabas?

—Cuando quieras, Juventino, convocamos a elecciones internas.

—Bien sabes que ya es tarde para ello.

Agitado, con el pelo revuelto y sin poder expresarse con propiedad, el joven diputado Fernando Montero irrumpe en el despacho del líder.

—¡Don José Manuel! ¡Se han separado los cabrones! Rompieron con el partido y lo desconocieron a usted. Pero, ¡si aquí están!

—¿Qué dices? ¿Quiénes? ¿Por qué? —interroga Barrientos.

—Pregúntele a Juventino —responde Montero—. Antes de entrar en la asamblea, declararon a la prensa que usted era un traidor, dispuesto a mercadear con el poder para obtener ventajas. Además, expresaron que con dinero sucio estaba usted fomentando candidaturas de coalición, carentes del consenso partidista. ¿No es verdad, Schwartz?

—Así es. Y precisamente a eso venimos. Hasta aquí llegamos, José Manuel. Nos vamos Emilio Márquez, José Gutiérrez Escobar —ambos ex presidentes del PAR—, y un servidor... junto con dos mil militantes de toda la República.

—Entonces, es verdad... ¡Son unos oportunistas!

—Mejor dicho: ustedes lo son, José Manuel. Se apartaron de sus orígenes, negaron nuestros postulados y se postraron de rodillas ante el presidente.

—No admito filípica alguna por parte de ustedes. Si se quieren ir, ¡adelante! Las puertas están abiertas para entrar y salir por ellas.

—¡Adiós, entonces!

Los dirigentes "renovadores" rompen sus credenciales de afiliación y las arrojan sobre la mesa de Barrientos. Luego, con un gesto despectivo, abandonan la oficina.

—¿Y dónde está Nerio? —pregunta, inquieto, Barrientos.

—Estaba como endemoniado, fuera de sí. Al enterarse, calificó al grupo disidente con palabras altisonantes. Dijo que la escoria está mejor en el basurero.

—¿Y qué se proponen los otrora correligionarios?

—Según pude oír, van a integrar otro partido... con el apoyo de varios grupos religiosos.

—No tienen tiempo para ello. Los registros son muy tardados y complejos.

—Dijeron que ya todo está arreglado. Y que la Junta Electoral ofrece tratar el asunto en la próxima audiencia.

—¿Y ellos me acusan de traición? No tienen vergüenza.

—Mejor, don José Manuel —enfatiza Montero—. Como usted les aclaró, las puertas del partido deben estar abiertas: sólo así saldrá el aire contaminado.

—Pero, ¿y la asamblea?

—Que se reanude mañana. Sólo sustituiremos a los miembros de los cuadros directivos que sirvieron de comparsas a los rebeldes. Los demás deben quedarse en sus sitios. En realidad, se trata de tres o cuatro casos. No nos daña demasiado.

Al día siguiente, el panorama cambia. Ni empujones ni altisonancias... en un auditorio a medio llenar. Más periodistas que de costumbre, eso sí. Y un discurso agresivo:

—Los fariseos se autoexpulsaron —comienza la arenga Nerio Menéndez, el nuevo "guía moral" como le llamaron sus compañeros—. Y permanecemos quienes, de verdad, queremos y respetamos al PAR. La ruta, pues, está despejada: la verdadera oposición no seguirá desgastándose. Ha llegado la hora, señores, de unificar criterios y restañar heridas sin ceder ideologías, para ofrecer a nuestro pueblo una opción viable frente a la imposición pirrista, a los amantes de la reelección disfrazada y sus secuaces. ¡Viva el nuevo PAR!

Emiliano Guadalupe Bautista, el líder de la Izquierda Unida, no pierde la ecuanimidad al ser informado de la batahola parista. Acostumbrado a las "sorpresas", la mayor parte de ellas promovidas y patrocinadas por el oficialismo, considera el "golpe" de los "renovadores" como una más de las estrategias para hacer sangrar a la oposición y reducirla a la impotencia.

—La catástrofe tiene ciertas ventajas para nosotros —arguye Ponciano Bassols, senador e ideólogo de los emilianistas—. Obligará a quienes se quedaron en el PAR a abrazar nuestra causa como única posibilidad de supervivencia en el corto plazo. Por otra parte, dudo mucho que Schwartz, por más que lo haya anunciado, pueda integrar una plataforma de campaña para contrarrestarnos. A menos, claro, que tenga el apoyo del gobierno.

—La posibilidad existe, Ponciano —afirma Bautista—. Al partido oficial le conviene toda escisión. Y Juventino es demasiado listo como para tirarse al redondel sin capote. Espera mucho de la supuesta apertura y busca la consiguiente nominación. Pero no debe preocuparnos: el suyo será un zumbido molesto. Sólo eso.

—¿No esperas una "sorpresita" similar en nuestra asamblea de hoy? Está desatada la jauría.

—Es posible. Pero, por lo que sabemos, no existe el peligro de una ruptura estructural similar a la ocurrida dentro de la derecha. Quizá surja alguna nueva aventura en el terreno de las individualidades coptadas. Hay material para elevar el nivel de las embajadas... con los convenencieros.

—Debemos establecer prioridades —expresa Roberto Torres, veterano luchador de limpia trayectoria—. Si vamos a inclinarnos por la candidatura única, ¿quién será el afortunado? ¿Algún empresario, genuino representante de la burguesía, o uno de los nuestros?

—Nuestra postura está definida —agrega Bassols—. Emiliano debe, otra vez, asumir el liderazgo. Sólo él, y lo digo sin recovecos, tiene la capacidad de aglutinar.

—No nos adelantemos, señores —sugiere Bautista—. Es probable que lleguemos al "hombre adecuado" más por eliminación que por selección. En ese caso, no pondría reparos y me haría a un lado, siempre que se formara un bloque con la suficiente solidez para vencer al gigante.

—¡Eso no, Emiliano! —exclama Bassols—. Debemos preservar lo fundamental. Y, para nosotros, es básico que tú seas el abanderado. Cualquiera otra cosa nos debilitaría.

—Se trata de una negociación, Ponciano, y esto lo sabes muy bien. Es menester que estemos dispuestos a ceder parte del terreno. Pretender sostener un criterio unilateral inamovible resulta torpe e inadecuado. Sería tanto como llegar derrotados a la mesa.

—Puntualicemos —solicita Torres—. Si tú no eres, ¿a quién vetaremos para compensar? No nos interesa neutralizar a nadie en especial, pero sí una tendencia: la de los patrones, quienes buscan el poder político para proteger sus intereses. Ésta podría ser nuestra propuesta: ni Emiliano, en el caso de que nos lo pidan, ni un empresario. ¿Estamos?

—No quiero per sar en esa posibilidad —insiste Bassols—. ¿Por qué ac.mitir un veto contra nuestro dirigente si él fue capaz, en 1988, de despertar la conciencia nacional? Su solo nombre levanta el espíritu. Así lo sentimos en la contienda anterior y el fenómeno volverá a darse.

—Abramos posibilidades, no nos encerremos —apunta Ricardo Valencia, diplomático cesado por el régimen lopezarenista—. Es evidente que los paristas no aceptarán, en principio, poner nuestro sello, al rojo vivo, sobre su carne. Para ellos, eso equivaldría a cancelar su cincuentona teoría.

—¿Y a nosotros qué nos importan las susceptibilidades? —pregunta, encolerizado, Bassols—. El valor que perseguimos es superior. No debemos perderlo de vista. Si ofrendamos demasiado, correremos el riesgo de perdernos en el oscurantismo.

—Y si pretendemos imponer nuestro parecer, desperdiciaremos una nueva oportunidad para que las fuerzas democráticas venzan el autoritarismo —asevera Bautista—. Creo que éste es el planteamiento final.

La anunciada asamblea se centra en la repetitiva discusión. La división de opiniones se acentúa y aquello no parece tener final.

—Voto, sí, en favor de integrar una coalición —clama Torres, en medio de vítores—. Pero sufrago en contra de que nos abandere un emisario del pasado. Debemos mantener la coherencia histórica por encima de las circunstancias pasajeras.

Por su parte, Valencia intenta amortiguar los radicalismos:

—Luchamos contra la autocracia y caemos en sus vicios. No prejuzguemos, porque hacerlo es señal de intolerancia y exhibe una conducta tramposa en virtud de que está condicionada. Dejemos que el flujo se produzca libremente y sin inducciones. Estimo que, en el seno de otros partidos, se formulan planteamientos semejantes y que ninguno de ellos se atreverá a proponer como candidatos, tanto para la presidencia como para los demás cargos de elección popular, a personajes de oscuros antecedentes, lo cual únicamente provocaría la condena infecunda. Polemicemos, eso sí, con la conciencia abierta.

Para finalizar el primer día de sesiones, Emiliano Guadalupe propone:

—Debo permanecer al pie de nuestra trinchera, porque creo que tal es mi deber. Servir no significa alentar un protagonismo estéril. Mi misión, en esta hora tan llena de matices, es la de conservar firmes nuestros principios, a fin de evitar que las estrategias de campaña comprometan el sentido y la orientación de nuestra lucha por la verdadera emancipación nacional.

Las palabras de Bautista equivalen a una renuncia. Los analistas así lo consideran, haciendo hincapié en el sacrificio. Sin embargo, la mayoría de los integrantes del Comité Ejecutivo de la IU insisten en no dejarse llevar "por fantasmas hacia el abismo de la historia".

Emiliano, seriamente preocupado, busca al líder parista, José M. Barrientos, para definir las posibles postulaciones.

—Ya habrá usted tomado nota del curso de nuestra asamblea, don José Manuel. Me parece que no podemos jugar con fuego.

—Sospecho, ingeniero Bautista, que padecemos graves infiltraciones. Nosotros pagamos un precio muy alto por ello. Y, como usted comprenderá, no podemos debilitarnos más. Le agradezco, profundamente, la caballerosidad con la que usted ha preferido permanecer al margen.

—Ni me diga, don José Manuel. Consideré que era necesario hacerlo para llevar a buen término nuestras pláticas.

—Sólo que nos sentimos un tanto limitados. ¿Quién va a ofrecer la solución? Por supuesto, cada partido intenta quedarse con la candidatura. Esto es natural. Pero no podemos aceptar de antemano el dar cabida a posturas excluyentes, porque con ello cancelaríamos la autonomía partidista.

—Creo, don José Manuel, que es un problema de tolerancias mutuas. No estamos frente a una situación en absoluto normal. Navegamos por aguas desconocidas y agitadas. Y es menester evitar desbordamientos. Por eso quise verle. En concreto, ¿cuáles son sus cartas?

—Dos, por lo menos: el gobernador de Alta Calafia, Bernardo Román, y Claudio Córdoba Altamirano.

—Córdoba ha sido presidente de la Confederación Patronal y nos condenó en su momento. Tiene muchas aristas.

—Pero podría resolver la papeleta: es honorable, recto y dinámico. Representa, además, a un sector influyente dentro de la estructura nacional y su postulación no significaría un rompimiento severo. Es el hombre idóneo para la transición.

—De eso se viene hablando desde hace tiempo. La transición es el modelo atemperante de la revolución.

—También de la anarquía, Emiliano. Para que el verdadero cambio se inicie, es necesario llegar al poder y, para que se cumpla esta condición, tenemos que vencer al PIR con sus propias armas y en su madriguera. No resulta sencillo; por tal motivo, estoy a favor de una transición.

—¿Es definitivo?

—Casi, ingeniero. ¿Y ustedes a quiénes propondrán?

—Nuestras mejores fichas están muy erosionadas. Torres ya perdió toda elección concebible y Bassols ha gastado la pólvora en infiernitos. Haciéndome a un lado, queda Ricardo Valencia. Sin embargo, como él proviene de las filas gubernamentales, no inspira confianza al pleno partidista; además, los "de arriba" no le dejarían gran espacio por el rencor que le tienen.

—¿Entonces? ¿No han resuelto el problema?

—Debemos solucionar lo relacionado con muchas otras nominaciones, no sólo la del candidato a la presidencia. Y la tensión, como es natural, va en aumento. Pero debemos elegir cuanto antes una cabeza visible para, a partir de ella, seleccionar a los demás.

—Así es. Qué desafío tan enorme: nos han dividido y limitado, pero no vencido. ¿Encaramos el reto?

Los paristas escindidos exigen una reunión urgente de la Junta Electoral, con objeto de poder fundar y validar un nuevo partido. Los requisitos señalados por la ley —la realización de asambleas durante un periodo mínimo de dos años y la formación de comités en al menos la mitad de las entidades federativas— no podían satisfacerse en cuestión de días. Sin embargo, confían en la palabra del ministro del Interior:

—Despreocúpense y actúen como les indique su conciencia. De la burocracia nos ocupamos nosotros.

Juventino Schwartz, líder de la fracción separada, considera un hecho consumado la obtención del registro. Por su parte, el gobierno pretende contar con un nuevo instrumento para reducir la potencia de la oposición. Es la costumbre.

—No te preocupes Sebastián, cayeron en la trampa —comunica el secretario Ulibarri al que comenzaban a llamar el "titiritero" del PIR.

—Pero, ¿qué van hacer cuando la Junta los rechace? Ellos creyeron en ti y esperan una compensación, la cual no vas a poder darles —responde Ganzúa.

—La bomba no estallará en mis manos. Tenlo por seguro. Dejemos que sean los partidos minoritarios los que hagan la faena. Los sufragios de éstos, sumados a los del PAR y la IU, habrán de orientarse en contra del otorgamiento de registro a un nuevo partido. Ellos determinarán el destino de los "renovadores". Nosotros no vamos a ensuciarnos.

Reunida la Junta Electoral, los reproches abundan. El representante de la IU, Pablo Echenique, abre el fuego:

—¡Con cuánta celeridad actúa el presidente de la Junta cuando se trata de golpear a la verdadera disidencia! Esta convocatoria carece de fundamento porque no se produce en el tiempo que la ley previene y tiende, precisamente, a que los delegados aquí reunidos votemos en contra del Estado de Derecho. No debemos admitir esta maniobra.

Minutos más tarde, Hernán Guzmán, del PAR, relata los sucesos que culminaron con el cisma partidista y acusa al gobierno de haberlos provocado:

—Los limosneros de gloria son capaces de cualquier indignidad para proyectarse. Algunos de los antiguos paristas, por desgracia, no estaban vacunados contra la seducción del poder. Y se contagiaron. Ahora pretende admitírseles con otro rostro, supuestamente con objeto de animar la competencia entre diversas opciones políticas. Lo que se busca, en verdad, es frenar a los auténticos opositores, pulverizando sus cuadros. Esta actitud no es democrática ni puede considerarse plural. Es, sencillamente, una maniobra vil, una más, dirigida a consolidar al régimen pirrista.

La confusión de ambos oradores es enorme cuando, a diferencia de lo que esperaban, los demás delegados votan en contra del registro. Sólo los cuatro representantes del PIR se abstienen. La propuesta no alcanza el porcentaje necesario de sufragios (esto es, 75%) para ser considerada viable. Los ex paristas se exaltan:

—Ulibarri... ¡nos engañaron! —truena Emilio Márquez, de los "renovadores"—. Procedimos porque sabíamos que teníamos la posibilidad de ahorrarnos los trámites. Ahora nos quedamos irremisiblemente aislados.

—Ni los pirristas ni yo pudimos evitarlo. Los delegados...

—¡Ésos nos habrían favorecido, si hubiesen tenido línea!

—Vaya: uno de los más enconados acusadores de los partidos de seguimiento nos agrede... porque no esquiroleamos. ¿No es una contradicción?

—Es imperdonable tu actitud. Protestaremos, desde luego.

—Están en su derecho... pero no podrán participar en los comicios. De esto, ni hablar.

Antes de las siete de la mañana, James Baker, secretario de Estado norteamericano, telefonea al domicilio del ministro de Desarrollo Industrial y Mercantil. Chorreando agua, luego de verse precisado a interrumpir su aseo matutino, Leandro Salvatierra toma el auricular:

—*Mister* Baker: cuánto gusto oír su voz. Debo decirle que el presidente López Arenas está muy complacido por el trato excepcional que se dio a nuestra delegación en Estados Unidos.

—Lo justo, nada más, amigo Salvatierra. Lo llamo por otro motivo. Hemos recibido ciertos informes, un poco inquietantes, sobre el curso de los acontecimientos políticos en su país. Aseveran que la oposición está desecha. ¿Es cierto?

—En realidad, ha sido víctima de sus propios errores. Tanto los de izquierda como los de derecha no supieron mantener con firmeza a sus militantes. Y la razón de que no tengan disciplina partidista reside en la carencia de fuerza estructural. Ahora pagan las consecuencias.

—En Estados Unidos, todos estos acontecimientos podrían interpretarse como una prueba magna de la intolerancia del PIR. Lo cual le haría mucho daño al presidente López Arenas.

—¿Intolerancia? Más bien, tuvo lugar lo contrario: los involucrados actuaron con absoluta libertad y sin presiones. Las fracturas producidas son resultado de la escasa convocatoria de la disidencia. Nosotros nada tenemos que ver.

—Pudiera ser, pero ¿no habrá competidores?

—Por supuesto que sí, se lo aseguro. Existen doce partidos, de los cuales sólo dos están en problemas.

—Los únicos no controlables del todo. ¿No es así?

—Digamos que los más intransigentes y peligrosos. Si se trata de preservar la estabilidad del país, entonces debemos congratularnos por el fracaso de ambos partidos. Por otra parte, no hay motivo para suponer que hayan sido agredidos: ellos solos se ahorcaron.

—Los efectos, sin embargo, son complejos. No es agradable la imagen del candidato único cuando soplan los vientos de la democracia, de las contiendas libres, de los espacios abiertos. Representaría un retroceso para el continente. Y peor aún, porque ustedes son nuestros aliados.

—Nuestro candidato no será el único contendiente en el cuadrilátero. Habrá de dónde escoger y, por supuesto, se desarrollará un combate democrático y ordenado, sobre todo ordenado. Durante una etapa tan compleja, ¿no resulta ejemplar que podamos resolver, en paz, la disyuntiva?

—Sólo les pido que cuiden las apariencias. La nuestra es una opinión amistosa, inspirada por la búsqueda del bien para ambas partes.

—Lo entiendo, *mister* Baker. Y le agradezco sus buenos oficios. ¿Cómo van las encuestas por allá?

—Pues... mal, amigo Salvatierra.

La victoria del demócrata Bill Clinton no sorprende sino a quienes pretendieron ignorar el avance del cambio, traducido en un proyecto económico con tintes sociales y sin privilegios fiscales para los grandes capitales. El presidente López Arenas recibe la noticia con preocupación:

—Las cosas se complican, Leandro. Si se interrumpe el flujo de buenas voluntades, estaremos cerca del abismo el próximo año. Lo peor es que eso lo saben los norteamericanos y pretenderán apretarnos más las tuercas. Los débiles siempre están condenados a ceder...

—Me parece que no habrá modificaciones substanciales, César. Un poco de ruido, nada más. En esencia, a Clinton no le conviene oponerse al Acuerdo, aunque pretenda imprimirle su sello. Será una cuestión de formas.

—No estoy tan seguro, Leandro. Clinton representa el triunfo de una nueva estrategia financiera, teñida de un acendrado localismo. Habrá que empezar otra vez...

—Pero... ¿tendremos tiempo?

Cada vez que llegaba a la residencia oficial, después de haber sido inhabilitado como posible candidato, Ernesto J. Ulibarri sentía que la presión iba a reventarlo. Sobre todo porque cada paso suyo, desde entonces, era debidamente supervisado por la oficina de Vicente Dols Abellán, la "eminencia gris".

—¿Y bien, Ernesto? Supongo que ya estamos más tranquilos y que no albergamos rencores. ¿Estoy en lo cierto?

—Todo olvidado, señor presidente —responde con una ligera reverencia, poniendo especial énfasis en la solemnidad del trato—. Tenemos mucho trabajo por delante.

—Me inquieta que no se hayan dado las reacciones previsibles. La gente no ha salido a manifestarse en las calles ni las protestas han subido de tono. La calma, definivamente, me alerta.

—No hay motivo. Sucede que la oposición se exhibió. Y nadie en su sano juicio puede estar a favor de aquellos que no demuestran madurez, solvencia y eficiencia en sus tareas. Cada ciudadano deduce lo que sería este país si estuviese en manos tan inescrupulosas.

—Nos estamos quedando solos y ello preocupa a ciertos amigos del norte, quienes no acaban de comprender el secreto de nuestra supervivencia política.

—Lo sé, César. Digo, señor presidente. Pero no hay razón para exagerar. Habrá otros candidatos y otras circunstancias. El PAR y la IU van a lanzar, así como están, a un aspirante único.

—Al respecto, tengo mis dudas, Ernesto. No encuentran a la figura adecuada; además, su desgaste interno es mayor de lo que ellos mismos calculan. Y no podrán sacar adelante una coalición en medio de los centenares de criterios encontrados.

—El hombre clave parece ser Claudio Córdova Altamirano. Un empresario, otra vez. Sin embargo, un importante sector de la IU, encabezado por Roberto Torres, se manifiesta enérgicamente en contra de esa opción.

—¿Lo ves? ¿Cómo van a lograr la conciliación si cada organización recela de la otra? Esta dificultad es la que nos permite maniobrar. Y no se aprecia que hayan encontrado algún antídoto para resolverla.

—De cualquier manera, convertirán a Córdoba en su candidato. Y en ello estamos trabajando.

—Bien, pero no me descuides a los partidos minoritarios, puesto que ahora sí vamos a necesitarlos. Que escojan aspirantes populares, quizá algún personaje de la televisión, para alborotar el cotarro. Te lo encargo, ¿eh?

—No será tan sencillo porque algunos, como los "socialistas", pretenden apoyar a nuestro abanderado. Están reacios a salir a la calle a pregonar.

—Anímalos. Ésa es tu misión, Ernesto.

Horas antes del inicio de la asamblea conjunta del PAR y la IU, en la Procuraduría General se da entrada a la denuncia de un grupo de antiguos militantes del partido derechista, ahora carentes de bandera, en contra de

Claudio Córdoba Altamirano, acusado de sostener operaciones con algunos prestanombres de los narcotraficantes más célebres. El "abogado de la nación", Modesto Blanco Verduzco, informa personalmente a los medios de comunicación:

—No cesaremos hasta que nuestra investigación llegue al fondo del asunto. Hay elementos, sí, para proceder. Por desgracia, el señor Córdoba Altamirano ha salido fuera del país, posiblemente a Estados Unidos. De confirmarse lo anterior, iniciaríamos el proceso de extradición, siempre y cuando, repito, logremos ubicarlo.

—¿El "viaje" del señor Córdoba cancela sus posibilidades políticas?

—No puedo responder a esa pregunta porque no es de mi competencia.

—¿No se trata de una maniobra extrajudicial?

—Le repito que sólo cumplo con mis funciones específicas. En esta dependencia no acostumbramos especular.

—¿Fue avisado el señor Córdoba?

—No por nosotros. Quizá alguno de los que presentaron la acusación haya cometido una indiscreción. Es inevitable.

—¿Por qué no previno la Procuraduría una posible fuga?

—Actuamos en el momento mismo en que fue de nuestro conocimiento el hecho.

—¿No había ninguna conexión anterior que hiciera aparecer como sospechoso al señor Córdoba?

—No, que yo sepa.

—Sólo se procedió cuando su postulación era inminente, ¿no es así?

—Buenas tardes, damas y caballeros. Fue un placer atenderlos. Les ruego me disculpen.

Por su parte, José M. Barrientos también convoca, con carácter de urgente, a la prensa. Con el rostro extremadamente afilado, las manos temblorosas y los ojos empañados, procede a leer un breve comunicado:

—El Partido de Acción Reivindicadora no presentará candidato a la presidencia de la República. No lo haremos, porque no existen garantías ni condiciones para desarrollar una contienda limpia y libre. Las últimas agresiones dirigidas a nuestro partido, las cuales culminaron con la salida de tres miembros del consejo y de algunos militantes, por una parte, y la posterior y artificial denuncia judicial en contra de uno de nuestros precandidatos, por la otra, demuestran la inviabilidad del concurso democrático. La asamblea determinará, en fecha posterior, si el partido participa o no en la lucha por las demás posiciones. Muchas gracias.

—Pero, señor. Un momento, por favor. Su mensaje es escueto. ¿Fueron ustedes presionados...

—En este país, todos los demócratas estamos bajo presión. Y no siempre es factible salir adelante.

—¿Queda cancelada su alianza con la Izquierda Unida?

—Es probable que integremos, en el caso de que resolvamos participar en algunos distritos, coaliciones parciales. Pero ello debe someterse al pleno partidista.

—¿Admitiría de nueva cuenta a los "renovadores"?

—No me corresponde exclusivamente a mí decidirlo. Por el momento, tal posibilidad ni siquiera la contemplamos.

—¿Cuál es su opinión acerca de los que se separaron del partido?

—Usaron su libertad en sentido contrario, es decir, para servir a los intereses del oficialismo. Lo peor es que, al parecer, lo hicieron ingenuamente. Es muy penoso.

—¿La decisión de no participar pone en riesgo el registro del partido y, por ende, su legitimidad?

—El partido existe porque tiene bases, militantes y proyectos. No necesita de reconocimientos burocráticos. No más preguntas, señores.

En la llamada "cúpula" de la Izquierda Unida impera un maremágnum. El entendimiento con la derecha había abortado de manera casi natural.

—Volvemos al punto de partida —expresa Roberto Torres—. Sin alianzas, vislumbramos un panorama más abierto y, quizá, más alentador.

—Te equivocas, Roberto —interviene Ponciano Bassols—. Es incuestionable que nuestro poder de convocatoria ha menguado. Será muy difícil que interesemos a los electores para que participen en un proceso contaminado, selectivo y tramposo.

—Siempre ha sido así. No veo por qué estableces ahora la diferencia.

—Por una sencilla razón: la opinión pública siguió casi con deleite cada paso que dimos para formar la coalición. Y le hicimos creer que sólo con base en ella habría posibilidad de derrotar al gigante. ¿Cómo vamos a justificar ahora lo contrario?

—Con la verdad, Ponciano. La ofensiva gubernamental se ha convertido en un verdadero atentado contra el pueblo y éste así lo entiende. No somos culpables. Al contrario: gozamos del prestigio de la víctima, que tan profundamente cala en el ánimo popular.

—Se trata de un enfoque optimista. Lo único rescatable es que podemos volver a plantear la candidatura de Emiliano.

—¿Aceptará? Es muy terco y no le gusta rectificar, menos aún cuando se ve obligado a hacerlo por las maniobras oficiales.

El ingeniero Bautista está ante una encrucijada, presionado tanto por los adversarios como por sus partidarios.

—Una posibilidad —comenta el líder del emilianismo— es retirarnos también y, de este modo, ensuciar la imagen de López Arenas en el plano internacional; otra, consiste en aprovechar la desolación parista para promover a nuestro candidato en las filas de la derecha, contando con el apoyo emocional, por lo menos, de la dirigencia. Puede darse, de hecho, una coalición, aunque no sumemos siglas.

—¿Qué hace más daño al gobierno? —pregunta Ricardo Valencia.

—Lo plantearía de otro modo: ¿qué perjudica más a nuestro partido? Eludir la responsabilidad significa aceptar una derrota por *default*. Bajar la guardia, sentarnos a esperar con los brazos cruzados. Éste no es nuestro estilo, sino el de la derecha.

—Pero si dejamos solos a los López y compañía, nadie los salvaría de la crítica mundial.

—¿Y con la opinión de los extranjeros pensamos gobernar? ¿De qué nos serviría esa especie de reconocimiento sentimental? El continuismo tendría vía libre...

—En todo caso, el candidato tendrías que ser tú, Emiliano. Como están las cosas, a nadie más aceptarían las bases. Además, lograste el respeto del PAR por tu recta actitud y, en cierto modo, los comprometiste. Si recoges la bandera de la unidad, aunque no participen directamente te darán su aval.

—No puedo negarme, por supuesto...

10

—En nuestro abanderado confluyen múltiples y excelentes cualidades, que pueden resumirse en el acendrado patriotismo que ha caracterizado su acción política. Es un hombre cabal, profundamente revolucionario y leal tanto a su patria como a su partido. Representa la vigorosa continuidad de todas las luchas de nuestro pueblo y garantiza la transformación social en un contexto de igualdad y justicia. Honorable, eficiente y de experiencia probada, es nuestra mejor carta.

Arturo Dehesa, presidente del Partido de las Instituciones Revolucionarias (PIR), oficia el rito. Cada seis años, el supremo elector, el presidente de la República, da a conocer a las bases el nombre del que habrá de ser su sucesor. Varía, si acaso, la forma, no el fondo. Y en esta ocasión, en la recién estrenada Sala de Prensa, se produce el ansiado anuncio:

—Los tres sectores de nuestro partido se han inclinado ya por un pirrista de militancia distinguida, un político de buena cuna y raigambre, de solvencia moral indiscutible, para que sea nuestro candidato a la primera magistratura del país: Francisco López Arenas.

La fiesta da inicio en ese preciso instante. El presagio se cumple y las especulaciones finalizan. Secretarios de Estado, gobernadores, diputados, senadores, delegados, dirigentes obreros y líderes campesinos colman la

223

tribuna que aguarda el arribo "del hombre". Las "porras" se vuelven ensordecedoras, así como los acordes provenientes de los numerosos grupos musicales de distintas regiones del país, atrincherados en la capital desde una semana antes "por si acaso".

—Profesor Alberto Paz, secretario de la Tierra, la Flora y la Fauna, ¿cuál es su opinión acerca de la nominación que todos hemos atestiguado? —pregunta un locutor de la televisión.

—Ha sido confirmada nuestra vocación democrática. El pueblo no quiere pasar sustos ni secunda a los agoreros de la violencia. Está firmemente convencido de que el progreso surge de la estabilidad, la cual es a su vez fruto de la continuidad revolucionaria. Todos estamos muy satisfechos.

—¿Considera usted que la pelea será reñida?

—Todas las contiendas democráticas lo son. Pero es evidente que, en esta ocasión, el clima es de concordia y de unidad en torno a nuestro presidente y a nuestro candidato.

—¿Qué significa el hecho de que sean hermanos?

—No tiene ninguna importancia, salvo un interés desde el punto de vista anecdótico. Porque es un hecho que las coincidencias ideológicas no derivan necesariamente de un parentesco. Ni siquiera de los afectos mutuos. Los méritos políticos de cada uno están a la vista y son ajenos a los derechos de sangre.

Francisco López del Castillo, eufórico a sus setenta y tres años, rejuvenece al ritmo de los estribillos pronunciados a gritos por los militantes. Y es objeto de la mayor atención.

—Señor, ¿qué significa ser padre de un presidente y de un futuro presidente?

—La más grande de las emociones. Confirmo que no me equivoqué al formar a mis hijos en un entorno de devoción a los valores patrios, a la esencia nacional. Busqué, siempre, que mis vástagos fueran útiles a su país. Y lo han sido, por fortuna.

—¿Será mejor mandatario Francisco que su antecesor?

—Sólo a él corresponde responder a ese desafío. Puedo adelantarles, eso sí, que dará la vida, si es necesario, para servir a sus compatriotas.

El presidente López Arenas apaga el televisor. Comprueba la hora —las doce en punto del domingo 20 de diciembre—, y percibe por primera vez que está solo. Repasa, tratando de desentrañar el sentido de cada palabra, algunas de las frases más aplaudidas del discurso pronunciado por el candidato en su momento de gloria:

"Cada quien es aquello que sea capaz de construir. No caben prejuicios ni comparaciones. No estoy coludido con nadie y sólo responderé a los impulsos de mi propia conciencia y al imperativo de servir a mi patria."

La alusión le llega hasta la fibra más íntima. Y acepta, en silencio, que Francisco nunca le mostró ese pasaje de la alocución. Comprende por qué.

—Señor presidente —comunica un ayudante—. Desea verlo el señor ministro del Interior.

—Hazlo pasar... ¡Ernesto, cuánto gusto de verte! ¿Qué te trae por aquí?

—Sé cómo son estas cosas, César —subraya, utilizando de nuevo el trato fraternal—. Mi lealtad es hacia ti y quise acompañarte. No me gusta el balconeo ni la "cargada" de búfalos.

—Te agradezco tu intención, pero estoy tranquilo, casi relajado. Ahora sólo falta esperar la reacción.

—Todo está bajo control, y lo sabes. La prensa, incluso la más independiente, no disimula sus elogios. Los contados articulistas que se atreven a divagar, y cuyos lectores son, por cierto, muy escasos, no hacen planteamientos de fondo. En cuanto a la oposición, ha permanecido callada hasta el momento.

—Es la típica postura de emboscada. Están de cacería, en espera de cualquier traspié por capitalizar. Así es siempre.

—Señor presidente —interrumpe Roberto Aceves, su secretario privado—. Hablaron sus hijos Benito y Eduardo.

—¿Cómo les fue en el mitin?

—No pudieron asistir. Precisamente llamaron para contarle que su hermano Francisco consideró inadecuado que lo acompañaran al acto. Y que les ordenó que bajaran del autobús a bordo del cual se trasladaban al mitin.

—¿Cómo? ¿Y por qué ayer no puso reparo alguno?

—Agregaron que los regañó delante de todos los invitados y que les hizo una broma un poco... ¿cómo decirle?

—¿Exactamente qué les dijo?

—Algo así como... "se les acabó el veinte, muchachitos".

Emiliano Guadalupe Bautista, candidato ungido de "las fuerzas democráticas", según su propia autodeterminación, califica la nominación pirrista de "reeleccionista" y "mentirosa":

—No sabemos si César López Arenas va a continuar mandando y lo ignoramos porque, para muchos, Francisco es quien ha llevado la batuta durante el presente sexenio. De cualquier manera, el poder no cambiará de manos y los comicios, de acuerdo con el proyecto oficial, serán un mero trámite para dar paso a una moderna autocracia. ¿Es esto lo que quiere nuestro pueblo?

Off the record, Bautista bromea con los reporteros de la fuente.

—¿Saben cómo le dicen a Pancho?... El hermanito de la caridad. El afecto fraterno y la generosa distribución de los recursos del Prone confirman el calificativo.

—¿Usted cree que la decisión en favor de Francisco López Arenas obedezca a un entendimiento con la Casa Blanca?

—Sin duda: el presidente es un vendedor nato. Y la oferta del continuismo está amparada por una garantía, la supuesta estabilidad política necesaria para dar forma y cauce al Acuerdo Comercial.

—Habló usted de supuesta estabilidad, ¿por qué?

—Porque el pueblo no ha dicho todavía la última palabra.

Con rostro inexpresivo, Sebastián Ganzúa acude a Palacio Nacional y usa el elevador reservado al presidente. Instantes después, entra en la oficina del primer mandatario.

—¿Cómo va la campaña, Sebastián?

—Sin contratiempos ni sobresaltos. Viento en popa, diría yo.

—Me dicen que los actos no son muy nutridos y que el lenguaje empleado por Francisco, sobre todo cuando se trata de juzgarme, es agresivo, casi virulento.

—Mentiras, mi presidente. Allá en Victoria, donde hace un año incendiaron la alcaldía como resultado del supuesto fraude electoral, el candidato debió hacer un llamado a la concordia para ganarse la confianza de los lugareños. Que recuerde es la única ocasión en que emitió una crítica.

—Espléndidamente destacada por la prensa. Recuerdo un encabezamiento: "No Toleraré Negociaciones Contra la Voluntad Popular: Y luego... a explayarse sobre los horrores de los "procesos contaminados" y de las... ¿cómo dijo?... ¡ah, sí!... "vergonzosas simulaciones políticas que habremos de sepultar". Muy propio, diría yo.

—No seas así. Tiene que remar contra los rumores de los maldicientes que hablan de reelección y componendas. Es muy difícil el papel de Pancho y él espera que lo entiendas.

—¿Como hermano o como presidente?

—Ambas condiciones son inseparables, creo yo. En el fondo, no hay controversia alguna ni diferencia sustancial.

—Salvo que hace diez días no se digna a comunicarse conmigo. Por lo demás, nada ha variado.

—¿Sabes que el candidato no quiso tener junto a él a ninguno de los antiguos ayudantes del presidente? —informa el mayor Eugenio Armijo—. Y algo más: desconfía de los generales leales a su hermano, incluyendo al ministro de Guerra, Alfonso García Ruiz.

—Sí, también he percibido el malestar —responde el coronel Manuel Elizalde—. Corre el rumor de que despachará a todos. Es increíble: cuando esperábamos una transición sin problemas, dado el origen común del jefe y su sucesor, las cosas se están complicando más que nunca.

—Los celos fraternales son peores que los pasionales y si a ellos les agregas una abundante dosis de política, ¡imagínate! Como que el cálculo le falló a don César.

—La familia del "patrón" está muy sentida. Me refiero a la señora y a los chamacos. Les han hecho muchos desaires. La otra tarde, la esposa del candidato abandonó a la primera dama, que no había llevado automóvil, a la salida del Hospital Materno-Infantil. Simplemente se despidió de ella y "olvidó" que habían llegado juntas. La "doña" se quedó de una pieza. Y tuvimos que transportarla en una patrulla del servicio secreto.

—Otra cosa: don Francisco desayunaba, comía o cenaba en Los Laureles tres o cuatro veces a la semana. Por lo menos. Ahora no se para por ahí ni para "checar tarjeta".

—Está en campaña, no lo olvides. Y no tiene tiempo para cortesías.

228

—Pero, ¡hombre!, se trata del presidente. Ahora nadie sabe quién manda: si el que se va o el que llega.

—Eso es, precisamente, lo que está en juego. Los dos sedujeron a la misma amante y ninguno quiere compartirla.

—Pues mi general García Ruiz está que trina. Hasta llamó desertores a quienes se fueron a la gira sin consultarle y sin autorización alguna del ministerio. ¿No será este un mal presagio?

—Todo puede suceder.

Leandro Salvatierra, coordinador general de la misión designada para la firma del Acuerdo Comercial, se encuentra en Washington, acompañado por una delegación paralela que encabeza Germán Colorado, sucesor del candidato López Arenas en la dirección del Programa Nacional de Equidad (Prone). No había la más mínima coordinación entre ambos grupos.

—Amigo Salvatierra —le informa el aún secretario de Estado, James Baker—, ¿a quién le hacemos caso? El señor Colorado se toma todas las atribuciones y ya prepara el próximo encuentro del presidente electo Clinton con el doctor Francisco López Arenas. Usted comprenderá que es imposible negociar con dos cabezas. ¿Qué me aconseja?

—Es efecto de la transición, *mister* Baker. En realidad, somos una unidad.

—Nunca consideramos favorable, para nuestro convenio mercantil, una transición. Hablamos claramente de continuidad. Supongo que no lo ha olvidado.

—Me confunde usted. El relevo de hombres no implica necesariamente una modificación de estrategias o proyectos. De otra manera, nosotros recelaríamos de ustedes y del futuro huésped de la Casa Blanca. Los desajustes, creo yo, son pequeños e inevitables. Pero no significan, de ningún modo, la cancelación o el desvío de las decisiones fundamentales.

—No estaría tan seguro de ello, amigo Salvatierra. ¿Está usted enterado de que la nueva delegación sí quiere incluir en el Acuerdo, a diferencia de ustedes, el rubro petrolero y el cultural? En esto, como es sencillo deducir, hay un giro de 180 grados.

Al secretario Salvatierra comienzan a faltarle aire y argumentos. Se siente colocado entre dos fuegos. Y, en realidad, lo está.

—Mencionar el tema, e incluso tratarlo, no conduce forzosamente a un cambio de criterio. Con mentalidad abierta, como exigen los nuevos tiempos, ningún tabú puede sostenerse.

—¿Entonces admite la viabilidad de la propuesta?

—La entiendo, simplemente, *mister* Baker. Sin embargo, la importancia del asunto me obliga a consultar al señor presidente López Arenas. ¿Sería usted tan amable de aguardar mi retorno?

—¿Viaja usted? Creí que acababa de llegar esta mañana.

—Así fue. Pero, como usted comprenderá, debemos definir algunas cuestiones en la capital de mi país. Salgo ahora mismo hacia el aeropuerto. Gracias por su confianza, *mister* Baker.

A iniciativa del presidente López Arenas, don Francisco, su padre, organiza una "reunión familiar" en El Vellocino.

—Quiero verlos a todos, cordiales y amistosos como siempre —expresa el patriarca a cada uno de los miembros del clan.

El presidente llega temprano, al filo del mediodía, dispuesto para el almuerzo.

—¿No irá a desairarnos Pancho, verdad? —pregunta a su progenitor, en cuanto desciende del poderoso Super Puma que le transportó desde Los Laureles.

—Desde luego que no. ¿Por qué lo dices?

—Por nada, papá. Es que como hace tantos días que no cruzamos palabra... pues no sería tan difícil que me eiudiera una vez más.

—No será así. Te has olvidado de cómo fue tu campaña y de lo cuán difícil resultaba hablar contigo en esa época.

—Lo que recuerdo, papá, son las visitas semanales al presidente De la Tijera, a quien siempre brindé la mayor de mis consideraciones.

—Estás celoso. Es eso, ¿no?

—¿No, papá. Pero es molesto que se me trate como despojo, cuando todavía ocupo la residencia oficial.

—Cálmate. Por el bien de la familia, y del país, te ruego que no vayas a chocar con tu hermano.

—Para evitarlo estoy aquí. Espero que no deba arrepentirme.

A las cinco de la tarde, hambrientos, los López deciden no seguir esperando a Francisco y se sientan a la mesa. El único acto de campaña programado para esa jornada había concluido a las doce del día y, sin embargo, el candidato no aparecía en la hacienda. Y ni siquiera había telefoneado para explicar su retraso. El presidente se esfuerza por acabar con el silencio general que impera en el comedor.

—El invierno va a pegar duro. ¿Tenemos suficiente alfalfa en el granero?

—Por supuesto, César. ¿Quieres dar una galopadita después?

A las nueve de la noche, arriba el candidato. El estruendo del helicóptero perturba la meditación del presidente, quien pudo entregarse, por espacio de cuatro horas, a la lectura de una novela, gusto que hacía tiempo que no se daba.

—Llegó la celebridad del momento —espeta a su padre.

Le escucha entrar en la residencia, intercambiar palabras con su esposa, subir a la recámara para "ponerse cómodo''. Y diez minutos después aparece, al fin, en la biblioteca.

—¡Mi querido hermano! ¡Qué bien te ves! No cabe duda de que la presidencia te ha sentado espléndidamente.

—¿Qué tal Pancho? Tienes un aire juvenil estupendo. Pareces realizado, al fin, con tu candidatura. Me satisface eso.

—Por cierto, vine en cuanto pude deshacerme de un montón de comisiones impertinentes. Espero que disculpen mi retraso. ¿Ya cenaron?

—Te esperábamos a comer —responde don Francisco—. César te ha estado aguardando toda la tarde.

—Bueno —retoma el hilo el presidente—. Definitivamente, siempre es agradable rescatar unos instantes para el descanso. Sobre todo cuando está reunida *casi* toda la familia.

—¡Qué pena, César! Perdóname, por favor. En fin, ¿para qué soy bueno?

—Pretendo que dialoguemos sobre algunas diferencias...

—¡Ah! Cuestiones de trabajo. De acuerdo, vamos a darle —contesta con un aire de evidente fastidio—. ¿No serán algunas intriguillas de aquellos que nos tienen mala voluntad?

—Escúchame, ¡por Dios! —reclama el segundogénito de don Francisco—. Enviaste a Germán Colorado a Washington por iniciativa propia. Debo recordarte que la política exterior es sólo de la incumbencia del presidente de la República. Y, hasta donde tengo entendido, sigo siéndolo yo.

—¿No te habrá disgustado eso? ¿O sí? No hay ninguna mala intención. Me pareció oportuno iniciar el diálogo con Clinton, para subrayar nuestra convergencia respecto al tratado que tú iniciaste y que yo deberé concluir.

—¿Y no te parece que debiste informarme al respecto? Máxime si pretendías modificar los términos del mismo. ¿Piensas permitir el ingreso de las compañías norteamericanas a nuestro país? ¿Cómo vas a justificar, entonces, la exclusividad del Estado en la producción del crudo? ¿Pretendes cancelar la doctrina de la expropiación?

—Estás adelantándote mucho. Y te precipitas. Una simple conversación de amigos no tiene por qué desbordar el contexto histórico. Discutir no significa ceder. Pero no quiero llegar encadenado, con mil prejuicios, a la presidencia. En buena parte, a ti debemos la apertura.

—No has contestado a mis preguntas, Pancho. ¿O es que quieres ocupar Los Laureles desde mañana mismo?

—Te han envenenado el ánimo contra mí. ¿Fue ese pusilánime de Leandro Salvatierra? No dudaría...

—Ahora también desconfías de mis colaboradores. Debería decir de nuestros colaboradores; pero, por lo visto, sería una soberana estupidez.

—Por desgracia, quienes han ejercido el poder no quieren soltarlo. Y eso perjudica, César.

—¿Lo dices también por mí?

—Estás hipersensible, querido hermano. Y eso no es bueno para ninguno de los dos. ¿Qué tal si vamos a cenar? Tengo mucha hambre. ¿Qué prepararon nuestras espléndidas cocineras?

—Una machaca, el exquisito platillo de la gastronomía mexicana que tanto te gusta —indica don Francisco—. ¿Quieres venir César?

Desde temprana hora, Óscar Rosas trabaja con gran diligencia en la revisión de las últimas estadísticas. Solicita, una y otra vez, la confirmación de las mismas, coteja los resultados con aquéllos de ciclos anteriores y busca afanosamente una interpretación convincente que pueda presentar al presidente de la República.

—A ver, Óscar, ¿qué tan fieles son nuestros seguidores?

—Es explicable, señor, que en el último tramo del sexenio las ingratitudes afloren. A lo cual no debemos dar gran importancia.

—¿Quiere esto decir que las encuestas nos son desfavorables? Habla, de una vez.

—Los indicativos, señor, pueden estar un poco contaminados. Con esta advertencia, le informo que 37% de los entrevistados se pronuncian en favor de su gobierno, 35% en contra y 28% muestran indecisión. Esto último no es tan grave porque los tibios, ya sabe usted, son quienes están conformes. Y, de ser así, los porcentajes subirían a 65% en nuestro favor. Esto significaría un descenso mínimo, de sólo 10 puntos, en comparación con el sondeo anterior.

—No te equivoques, Óscar. Los que no responden, esconden sus intenciones por temor y actúan así porque están en contra. ¿Y en el área metropolitana?

—Mal, señor. Únicamente 22% de los encuestados consideran positivo su gobierno, 48% lo califican de negativo y 30% prefieren no contestar.

—¿Cuántos puntos bajamos?

—Alrededor de 40, señor presidente.

—Por desgracia, ello refleja la reacción, a todas luces negativa, a la candidatura de Pancho.

—En efecto, señor. Todos coinciden en señalar que la buena labor suya pareció esfumarse cuando, según se dice, usted "enseñó el cobre". Esta frase ha sido muy reiterada.

—Ilustrativa, además. Prepara un informe, muy completo, para enviárselo al candidato, quien no debe confiarse.

El calor de la campaña opositora sorprende incluso a los propios protagonistas. La extraordinaria, respuesta popular, contrasta con los esfuerzos del PIR para nutrir del elemento humano las comparecencias de su abanderado.

234

—Está creciendo esto, Roberto —confirma el senador Bassols—. Mucho más de lo que esperábamos. Ya comencé a creer en los milagros.

—Teníamos razón, Ponciano, los que nos oponíamos a las alianzas y coaliciones, porque las mayorías están con nosotros.

—¡Cuidado con los enfoques! La ausencia del PAR y su virtual apoyo a Emiliano han sido de enorme utilidad. Han contribuido a estos resultados tan positivos.

En los actos de mayor relieve, el ingeniero Bautista, candidato de "las fuerzas democráticas", suele invitar a distinguidos militantes del partido derechista, quienes justifican su presencia como una decisión tomada "a título personal". También el dirigente parista, José Manuel Barrientos, accede a exhibirse junto al líder de la IU.

—No sabe usted, don José Manuel, lo mucho que le estoy agradecido. Y me alegro de que usted perciba la utilidad de su decisión. Vea a la multitud. Los hemos despertado, querido amigo.

—No se deje llevar por la euforia, ingeniero. Recuerde que éste es sólo el primer paso. El siguiente, el más difícil, es la propia jornada electoral. Aquéllos se están preparando con todo.

—Mire usted: tenemos registrados, y asegurados, a 90% de los representantes de casillas. Nuestra intención es cubrir la totalidad de los espacios, incluso con dos o tres simpatizantes por casilla. Podemos aprovechar a los suyos, quienes estarán en las mesas vigilando la elección de diputados y senadores. Si contamos con ellos, reforzaremos considerablemente la cobertura.

—¡Por supuesto! Aunque usted no me lo había mencionado, yo ya he girado instrucciones sobre el particular. Pero el mayor riesgo estará en las Juntas Distritales... y en el trayecto hacia ellas.

Una noche, durante la campaña realizada en la costa del país, el candidato recibe a una extraña comisión: tres oficiales del ejército, vestidos como civiles. Pide que lo dejen solo con ellos.

—Ingeniero Bautista: venimos a ofrecerle nuestros respetos en nombre propio y en el de nuestros superiores inmediatos.

—Les agradezco la deferencia. ¿En qué puedo servirles?

—Usted sabe que hay mucha inquietud en nuestras filas. Y deseamos tener un acercamiento con usted. Le hablamos, por lo menos, de seis comandancias militares y tres destacamentos de la capital. Estamos preparados para todo.

—Lo que me dicen es muy serio y no podemos tratarlo aquí. Entiendo hasta dónde quieren llegar. Por favor, soliciten a sus comandantes que actúen, a partir de este momento, con mayor discreción. Me emociona su apoyo. Yo los buscaré.

Sebastián Ganzúa, coordinador general de la campaña del PIR, no pierde el tiempo. Informado acerca de los "dígitos negativos", apresura los preparativos y programa entrevistas con todos los gobernadores pirristas para responsabilizarlos del curso electoral en sus respectivas provincias.

—Tenemos que trabajar a la antigüita, Sebastián —propone Gonzalo Cámara Vidaurreta, de Los Altos—. Nada de contemplaciones.

—Si hacemos las cosas de manera burda, nos van a satanizar los "mirones" de afuera. Y ya sabes lo que opina el presidente al respecto.

—Limpios, no vamos a ganar. Lo sabemos todos. Entonces, no abundemos en lamentaciones. En mi tierra ya estamos listos: junto a cada casilla hemos instalado nuestro "laboratorio". Es cosa, nada más, de cambiar las ánforas y la documentación. Ni cuenta van a darse los comisionados.

—Tenemos a nuestra disposición un número de boletas similar al que será repartido en toda la República. ¿No consideras muy arriesgado sacarlas todas a la calle?

—No hay otro remedio. Que cada quien responda por las suyas. Y en donde mandan los gobernadores de la oposición coloca a los mejores delegados. Es menester hacer bien las cosas.

—En relación con las credenciales, la selección resultó eficaz. Retiramos aproximadamente ocho millones, correspondientes a militantes probados de la disidencia. Protestan mucho, pero las medidas que tomen tendrán lugar fuera del lapso establecido.

—Enferma a los funcionarios adscritos a las casillas "perdidas". Que no vaya nadie a abrirlas. Eso provocará tal confusión que el día entero se la pasarán en averiguaciones. Mientras, nosotros conducimos a votar a quienes hayan comprometido de antemano su sufragio. Nadie debe quedarse sin cumplir.

—Todo lo haremos. Ahora, ¿de qué manera vamos a distraer a los observadores? Por lo pronto, hemos rechazado a los organismos que pretendían involucrarse. Y los clandestinos no tienen gran credibilidad. Me preocupan los corresponsales... y los intelectuales que andan desbordados.

—Monta un gran aparato informativo. Hasta los cines pueden servir para transmitir, en circuito cerrado, las noticias sobre la jornada, muy bien cuidadas desde luego. Luego aparecerán las primeras cifras... y hasta el amanecer. Así obligaremos a los curiosos a estar pendientes de los boletines la mayor parte del día.

—Espléndida idea, Gonzalo. Por cierto, tenemos un programa para que las computadoras escojan las cifras "adecuadas". Así, aparecerán en público sólo aquellos resultados que nos favorezcan. Y si además conectamos los ordenadores a un amplio circuito, sepultaremos con números a los gritones.

—Recuerda, Sebastián, que cuando se saben hacer bien las cosas los ingenuos nada captan. Han sido la clave de nuestro éxito durante muchos años. Y la técnica está, te lo aseguro, muy bien ensayada. Ya lo verás.

El día de las elecciones, los contendientes votan temprano, antes de las nueve de la mañana, después de haber aguardado un buen rato.

—No esperaba esta afluencia, Sebastián —expresa el preocupado candidato López Arenas—. Nuestros pronósticos se basan en un abstencionismo de, por lo menos, 60%.

—Es demasiado pronto para juzgar, Pancho. Los madrugadores abundan. Además, ten en cuenta que es parte de nuestro plan de acarreo. Tranquilízate.

A la mitad de la jornada, el flujo de votantes aumenta. Es evidente que se trata de "los comicios más concurridos de la historia", según la voz autorizada de Pedro Gutiérrez Miró, popularísimo locutor. Para el ingeniero Bautista constituye un síntoma indicativo:

—Cuando el pueblo sale a votar, el PIR pierde. Es una regla de oro infalible. ¿Qué informes tenemos del resto de la República?

—Son similares en todas partes: filas muy largas, cierta lentitud en el trabajo de los funcionarios de las mesas e innumerables protestas.

—¿Las más graves?

—Se han producido choques en aquellos sitios donde las casillas no operaron. Al parecer, hubo epidemia. Y los votantes las han abierto supliendo a los enfermitos con vecinos de reconocida honorabilidad.

—¿Les dieron la documentación?

—No en todos los casos. Más bien los interesados, es decir los nuestros, la arrebataron en las Juntas Distritales; pero también en algunas de éstas adujeron no contar con más boletas. Hay concentraciones en varias capitales para exigir garantías y respeto. La soldadesca vigila.

238

El presidente López Arenas ordena que le sirvan el almuerzo en el comedor ejecutivo del Palacio Nacional. Lo acompañan su secretario, Roberto Aceves, y dos auxiliares. Desde ahí telefonea al ministerio de Guerra.

—¿General García Ruiz? ¿Qué tenemos?

—Hasta el momento la situación está bajo control, pero comienza a tornarse peligrosa, señor presidente. Nos llegan informes de manifestaciones en siete capitales y en tres más permanece la multitud en las plazas principales exigiendo que aparezcan sus respectivos gobernadores.

—Por favor, general, que la tropa no haga caso a los provocadores. Un culatazo y se enciende la mecha. Mucho cuidado.

—Esas instrucciones tienen todos los comandantes. Por cierto, con algunos de ellos ha sido difícil establecer la comunicación.

—¿Por qué? ¿Alguna interferencia?

—No, señor presidente. El equipo ha funcionado de maravilla. Sucede que no han estado en su sitio. Mañana les pediremos cuentas.

—Podría ser un indicador peligroso. En fin, la situación amerita que exhortemos a la ciudadanía a mantener la calma. Dentro de dos horas, exactamente a las cinco y media, daré un mensaje por televisión.

—¿Alguna instrucción en especial, señor?

—Que esté usted muy pendiente.

El llamado del presidente impacta a la opinión pública. López Arenas aparece en pantalla con una destacable serenidad. Juicioso y cordial, sin el menor asomo de angustia, improvisa sus palabras:

"Compatriotas: la excepcional participación popular durante la jornada electoral de hoy es demostración del alto nivel de madurez cívica de nuestro pueblo. Debemos congratularnos por ello. En algunas ciudades, como fruto de la explicable pasión política que deriva de una contienda democrática y muy competida, los ánimos parecen desbordados. Les exhorto, a todos sin excepción, a mantenerse serenos y a observar, en paz, la culminación del proceso.

Tengan la seguridad de que no permitiremos manipulaciones de ningún género y de que seremos respetuosos de la voluntad popular, libremente expresada en las urnas. Ninguna presión podrá desviar nuestra decisión democrática. Por fortuna, de acuerdo con la información que tenemos, los incidentes han sido aislados y poco significativos. No obstante, rogamos a los dirigentes de los partidos políticos dar curso legítimo a sus protestas, en la inteligencia de que cada una de ellas será atentida. Es nuestro compromiso.

Agradezco, en nombre de nuestro gobierno, el ejemplo de altura cívica que están dando todos ustedes, los verdaderos constructores de una patria mejor para nuestros hijos. Felicidades, compatriotas. Muchas gracias.''

Minutos antes de las seis de la tarde, la hora establecida para el cierre de las mesas electorales, el candidato Francisco López Arenas llega a sus oficinas particulares. Como de costumbre, en cuanto traspasa la entrada de la señorial casona colonial que las alberga, desciende del automóvil y se dirige a los guardias para darles, personalmente, las instrucciones acerca de las audiencias y reuniones programadas. La rutina, según decía, se justificaba por razones de seguridad: no había terceras manos que se involucraran en las listas de asistencia.

Los vigilantes, también por costumbre, abandonan unos minutos su sitio y dejan libre la acera, para atender al jefe. Siempre era igual. Ese día, sin embargo, todo sería distinto. Un carro bomba, sin conductor y cargado de dinamita, arranca hacia la sede. El vehículo había permanecido estacionado enfrente, desde el alba, sin que nadie se hubiese extrañado de su presencia. El impacto es brutal: madera, hierro y cemento vuelan por los aires. También los cuerpos de quienes dialogaban bajo el pórtico, entre ellos el del candidato a la presidencia de la República.

En cuestión de minutos, pasada la confusión inicial, arriban centenares de soldados, quienes acordonan la zona, y cinco ambulancias de la Cruz Roja, además de bomberos y periodistas. El ir y venir es incesante.

—¿Está vivo? —interroga al médico un ansioso jefe de destacamento—. Los reporteros preguntan...

—Yo que usted no abría la boca. Más vale. No dé un solo paso sin autorización. La situación es muy delicada.

—Pero, ¿está vivo?

—No. Murió instantáneamente. Lo extraño es que los peritos de la Procuraduría no hayan llegado. Ya pasaron diez minutos...

En Palacio Nacional, luego de conocer la noticia, el presidente solicita quedarse solo. No hace ninguna llamada. Durante media hora, no da instrucción alguna. Más tarde, al darse cuenta de la inusual presencia de tropas en el recinto del Ejecutivo, solicita una explicación:

—El general García Ruiz las envió para protegerlo, en previsión de otro posible atentado. Y ha estado telefoneando para preguntar si declara el estado de emergencia. Viene para acá.

—¿Está todo plenamente confirmado?

—Por desgracia sí, señor presidente.

—Procedan, de inmediato, a aprehender a Emiliano Guadalupe Bautista y a toda su plana mayor. Algo deben saber.

—¿Quiere usted que le transmita la orden al señor procurador? —pregunta Aceves al advertir el estado perturbado del presidente.

—No, yo lo haré. ¿Avisaron a la familia?

—Sólo a la señora. A don Francisco, la verdad, no nos hemos atrevido... aunque suponemos que ya lo sabe. Las malas noticias vuelan, señor.

—Sí, por encima del dolor, debo tomar decisiones. Vamos por pasos. Que vengan el presidente de la Corte y nuestros asesores jurídicos. Sin pérdida de tiempo, ¿eh?

—¿Quiere usted que encendamos el televisor?

—No, mejor no. ¿Qué pueden decir que no sepamos ya?

Con ojos desorbitados y sudando, aparecen los jurisconsultos. El presidente no percibe, a ciencia cierta, cuánto tardaron en llegar.

—Siéntense, señores. Los votos ya estaban emitidos al momento de producirse la tragedia. Por tanto, aunque Pancho no tenía aún el carácter de presidente electo, es muy probable que ya tuviera el de candidato triunfador. ¿Qué procede, en estricto derecho?

—Primero, señor, acepte nuestras condolencias —expresa un conmovido Melquiades Orduña, presidente de la Corte—. Ahora bien, sobre lo que usted nos consulta, debemos aceptar que nuestra legislación no contempla el caso. Es una laguna jurídica. Pero podemos aplicar el criterio histórico: que el Congreso se reúna para designar a un mandatario interino, el cual deberá convocar a nuevas elecciones. No creo que haya otro camino, salvo... Pero no, olvídelo.

—¿Salvo qué, abogado?

—Que los escrutinios otorgaran el triunfo a otro de los aspirantes. Pero esta posibilidad, según entiendo, no existe.

—Y entiende bien, abogado. Dadas las circunstancias, no queda más que anular las elecciones. Es imposible otorgarles alguna validez luego de lo sucedido. El problema es la integración de la próxima legislatura. Quizá podríamos prolongar el periodo...

Jurídicamente no cabe una anulación parcial ni una prórroga. Políticamente, señor, todo es posible —insinúa Orduña.

—Vamos a pensarlo un poco. ¿Me permiten ustedes? Les ruego que se mantengan cerca.

—Así lo haremos. Con permiso, señor presidente.

César López Arenas acompaña a los magistrados hasta la puerta y observa la adustez de Melquiades Orduña. Las manos le tiemblan. El presidente, muy serio y con los ojos nublados, lo toma del brazo y le dice al oído:

—Dele forma, licenciado.

Esta obra se terminó de imprimir
en marzo de 1996, en
Avelar Editores Impresores, S.A.
Bismark 18
México, 13 D.F.

La edición consta de 2 000 ejemplares